◆

Edna Arseneault-McGrath

D1284313

Fie-toi à moi !

**Éditions du
CRP**

*Collection
«L'avenir de la mémoire»*

◆

L'illustration de la couverture est de l'autrice.

ISBN 2-89474-012-3

© Éditions du CRP
Faculté d'éducation
Université de Sherbrooke
2500, boul. de l'Université
Sherbrooke (Québec) J1K 2R1
Téléphone   (819) 821-8001
Télécopieur   (819) 821-7680
Courriel   crp@courrier.usherb.ca

Dépôt légal : 4ᵉ trimestre 1999

Imprimé au Canada
Imprimeries Transcontinental inc.
Division Métrolitho, Sherbrooke

Bibliothèque nationale du Québec, Montréal
Bibliothèque nationale du Canada, Ottawa

◆

La collection
« L'avenir de la mémoire »

La collection « L'avenir de la mémoire » est une initiative de l'Université du troisième âge de la Faculté d'éducation de l'Université de Sherbrooke et est placée sous sa responsabilité.

Le titre de la collection est emprunté de *L'avenir de la mémoire* de Fernand Dumont, sociologue et penseur québécois, docteur d'honneur de l'Université de Sherbrooke. Le choix de ce titre, en plus de définir le propos et les limites de la collection, a pour but d'honorer la mémoire de celui qui, plus que d'autres, a réfléchi au rôle de la mémoire, des coutumes, de la tradition et de l'innovation dans la culture.

La collection accueille des œuvres d'étudiantes et d'étudiants des programmes de l'Université du troisième âge, de personnes ressources œuvrant dans ces programmes et d'autres œuvres qui sont susceptibles de contribuer à la conservation de la mémoire ou à la compréhension du phénomène du prolongement de la durée de vie.

Ouvrages déjà parus

> *À marée basse ou d'une culture à l'autre,* Jean-Louis Levesque
>
> *L'âme des choses,* Mariette Éthier-Morand
>
> *Jongleries,* Myriam Joachim et les autres
>
> *La roche à bouder,* Jean-Louis Levesque
>
> *En venir à bout,* Mariette Éthier-Morand
>
> *Fie-toi à moi !* Edna Arseneault-McGrath

À Eddie, Eddy (Ed), Muriel et Lynda.

*Comme le soleil
qui répand ses rayons bienfaisants
de l'aube au crépuscule,
comme le kaléidoscope
qui suscite formes et couleurs chatoyantes,
vous faites de ma vie
un univers chaleureux et fascinant.*

Merci !

Avant-propos

Trois années ont transformé ma vie et celle de ma famille. J'ai séjourné en Australie, fait deux fois le tour du monde, visité vingt-cinq pays, parcouru des centaines de milliers de kilomètres, connu des expériences uniques et inoubliables.

En 1988 vint la retraite, une excellente occasion d'adaptation et de socialisation. Six mois plus tard, j'étais convaincue, ma famille aussi, que je devais faire autre chose. Un an plus tard, j'entreprends des études en traduction à l'université. Je vibre à nouveau : la vie étudiante, l'odeur des livres. C'est merveilleux. Mes productions littéraires sont appréciées; on m'encourage à publier. Mais, *tempus fugit*.

Histoire de ne pas rouiller, je dirige bénévolement un groupe d'aînées. Comme le théâtre m'intéresse depuis toujours, j'écris *Introspection* et fonde, en mai 1991, la compagnie *Les Aînés de l'an 2000*. Présentée à la Maison des Arts de Laval en octobre 1992, cette pièce connaît tout un succès ! En novembre 1996, je signe *Introspection II*, ma cinquième et dernière pièce; elle est jouée encore à guichets fermés.

Je prends alors une décision importante, celle de faire une pause du théâtre. Cette année sera celle d'un livre, un projet qui me tient à cœur depuis longtemps.

Un livre, pour moi, l'aboutissement d'un rêve. La première fois que je suis entrée dans une bibliothèque, une vraie, j'avais dix-sept ans. Les bibliothèques étaient rares à Rivière-à-la-Truite ! À me promener entre les centaines de rayons, je croyais rêver. Je marchais sur la pointe des pieds comme on le fait dans un lieu sacré. Je comprenais qu'il fallait garder silence. Imaginez ! Des milliers d'ouvrages de savoir, d'aventures, de science et de fiction; ça force le respect. J'étais au septième ciel.

Mes mains s'amusaient à glisser sur les livres. Leur odeur et l'atmosphère de ce lieu magique me transportaient dans un monde merveilleux. Les années ont passé; le rêve est resté. En novembre 1996, après la dernière représentation de ma cinquième pièce, j'entre dans une librairie. Je regarde les livres et j'imagine le mien parmi les autres.

J'écris ce livre pour Eddie mon mari, mon amant, mon meilleur ami, globe-trotter passionné d'histoire, de géographie et de culture qui en a orchestré le déroulement. Je l'écris aussi pour mes enfants, Eddy, Muriel et Lynda, les soleils de mes jours, qui ont si bien su s'adapter et tirer profit de notre vie nomade.

L'autrice

Les Aînés de l'an 2000

Préface

Il faut être passé par là pour savoir à quel point tenir en main son tout premier livre peut être un moment réjouissant. La plupart des auteurs vous diront qu'on a l'impression de tenir son premier nouveau-né. Le geste est à peu près toujours le même : les bras tendus devant soi, les deux mains retiennent un instant le bouquin que l'auteur inonde d'un regard intense et radieux. Puis, c'est l'étreinte plus maternelle que paternelle. Cette naissance fait disparaître labeur et sueurs.

Mon amie acadienne devenue québécoise, Edna Arseneault-McGrath, n'y échappera pas. Elle a su vivre lucidement une aventure de voyages à répétition avec son mari Eddie et leurs trois enfants, bien déterminée qu'elle était au départ d'ancrer solidement dans sa mémoire les gestes et les paroles de l'équipe pour en animer la chronique. Faut le faire !

Tous les détails de cette période tourbillonnante de sa vie sont authentiques et vécus à l'avenant. Chez elle, les montagnes russes de la vie quotidienne, que les déplacements accentuent, ne font que susciter de nouvelles attentes, de nouveaux défis à relever. La famille devenue globe-trotter s'en remet aux aptitudes d'adaptation du paternel, éducateur toujours conciliant, et aux stimulations des boutades et des mots d'encouragement de la cheftaine maternelle.

C'est ainsi que les Arseneault-McGrath feront leur tour du monde en profitant de chaque instant pour emmagasiner connaissances et souvenirs. Comme dit la chanson du métèque sympathique : on a toute la vie pour s'amuser, on a toute la mort pour se reposer. Puis, c'est une belle façon d'en venir

◆

à apprécier son chez-soi et de se préparer une retraite active et fructueuse.

Un prochain bouquin ? Il est sans doute déjà sous forme de manuscrit. Edna voyage maintenant du bout des doigts sur le clavier au gré de ses souvenirs, de ses rêves et du bonheur qu'elle a le désir constant de partager avec son entourage.

Vous avez, entre les mains, une incitation au voyage ! Bon périple !

Henri Bergeron

Fol départ

– Maman, tu jettes mon Pitou ! Tu sais pas, c'est mon préféré !

– Mais, Lynda, j'en ai mis quatre dans la caisse : ton agneau, ton ourson, ton lapin et ton éléphant; on peut pas tout emporter.

– Je l'sais. Mais, maman, c'est loin l'Aus-ta-lie. C'est toi-même qui l'as dit. Il va s'ennuyer à mourir.

– L'Australie, chérie.

– OK, l'Aus-taa-lie, mais j'pourrai plus jamais dormir sans lui. J'vais être trop triste.

Elle est plantée là, devant moi, ses yeux me fixent intensément, deux perles au bout des cils. Elle serre Pitou contre son cœur, m'implore du regard, puis le remet tendrement dans la caisse, pivote en lançant : « Bye, Pitou, j'te reverrai en Aus-taa-lie. Il va être bien dans l'*cercueil*, hein, maman ? »

J'étais là dans la véranda, devant un cercueil – c'est le nom que nous donnions aux caisses en contreplaqué qu'Eddie avait assemblées pour envoyer nos bagages – tâchant de voir clair dans un désordre indescriptible. Tout avait commencé la veille, un lundi matin. De but en blanc, Eddie m'avait annoncé : « Edna, j'viens d'appeler au port. Vendredi, un bateau lève l'ancre pour l'Australie. Nous y serons au début d'août, notre bagage devrait y être aussi. L'autre bateau ne part que dans cinq semaines... »

– Veux-tu dire vendredi de cette semaine, le 30 juin ?

– Non, j'veux dire jeudi midi. Tu t'sens d'attaque ?

Je le regardai. Il surveillait ma réaction. J'éclatai de rire.

– Je cours acheter du contreplaqué et des vis; commence par vider les chambres.

◆

J'allai chercher ma liste, mon crayon, puis m'installai devant une tasse de thé; c'est ainsi que ma mère envisageait la vie et les problèmes. Il me semble, encore aujourd'hui, que s'asseoir devant une tasse de thé reste un rituel qui crée une ambiance propice pour rationaliser en paix. J'avais besoin de cet instant de quiétude car après, même les secondes seraient comptées.

Nous sommes cinq. Eddie et moi, puis nos trois enfants : Ed quinze ans, Muriel onze et Lynda cinq. Il fallait mettre de côté les vêtements et les articles nécessaires pour la traversée et l'arrivée. Notre maison d'ici serait louée meublée; il fallait vider garde-robes, commodes, armoires, remises, ranger à part les appareils électriques que l'ampérage australien, qui diffère du nôtre, nous forçait à entreposer.

Je commençai par le sous-sol, puis montai au premier. Systématiquement, je vidais tout et mettais de côté ce dont nous aurions besoin. Dans notre véranda devenue zone sinistrée, j'étais là debout, entourée d'une pile de vêtements, d'accessoires, de bibelots et de livres : un véritable casse-tête chinois. Je jetais les inutiles dans un sac à ordures, mettais de côté ce qui devait partir, le passais ensuite à Eddie, l'expert empaqueteur. Quand les enfants n'étaient pas aux alentours, tout progressait comme sur des roulettes. Muriel passait la semaine à Saint-Sauveur chez son amie Marie-France. Elle m'avait appelée la veille, s'était offerte pour revenir m'aider.

– Maman, ç'a pas de bon sens, j'peux t'aider; j'vais demander qu'ils viennent me reconduire.

J'avais refusé. Elle pouvait se rendre utile, mais je préférais qu'elle reste avec son amie; elle la quitterait bien assez tôt.

Ce furent trois journées et demie ardues, mais fructueuses, pendant lesquelles les jours se fondaient avec les nuits. À onze heures, le jeudi, sur le balcon, je regardais Eddie et Ed partir avec les cercueils. Toutes sortes d'émotions s'emmêlaient dans ma tête !

Je retournai à la véranda, me laissai choir sur le canapé. Autour de moi, cette véranda qu'Eddie avait construite semblable à celle de la maison de mon enfance. Cette véranda, mon havre de paix, un endroit pour lire, écrire, coudre, bercer les enfants, regarder à la brunante, à travers la silhouette des arbres, se coucher le soleil. Cette véranda, mon oasis, mon indispensable pièce de la maison. Le chat ronronnait paresseusement dans la vieille berceuse. C'était l'intermède au milieu du brouhaha quotidien. Absorbée dans mes pensées, je jetai un regard à la cour, à la balançoire, au carré de sable où, pendant des heures, les enfants s'étaient amusés, s'étaient inventé un monde merveilleux de personnages imaginaires.

Je me levai, allai d'une chambre à l'autre. Quelques vêtements abandonnés dans les garde-robes; les tiroirs tous ouverts, pour ainsi dire, dévalisés. Çà et là un jupon, un bas pendaient lamentablement. Déjà, une partie de son âme avait quitté notre maison. Est-ce qu'elle y reviendrait ? La maison nous attendrait-elle ? Est-ce qu'un jour nous serions à nouveau réunis dans ce lieu où nous avions vécu si heureux ? L'heure du départ que concrétisait l'envoi des bagages approchait.

L'Australie ! Qui aurait cru que moi, petite Acadienne de Rivière-à-la-Truite, un point à peine dans la péninsule acadienne situé à cinq kilomètres de Tracadie, moi issue d'une famille de douze enfants qui, jusqu'à seize ans, n'avais jamais été plus loin que Bathurst, à soixante-quinze kilomètres, j'aurais la chance de faire le tour du monde ? Durant mon enfance, aller à Montréal était tout un exploit; aux États-Unis – en Amérique, comme disait mon père –, c'était le bout du monde. J'irais donc plus loin qu'en Amérique.

Quand mon père parlait de l'Europe, il disait « l'autre bord ». Pour moi, l'Australie ou la Tasmanie, bien plus loin que « l'autre bord », c'était la mystérieuse et inaccessible planète Mars. On allait pourtant y passer deux années ! Je vivais transportée dans un *Conte des mille et une nuits*, à la fois emballée et craintive, émerveillée et triste. Ne manquait que le tapis volant !

◆

Nous partions, parce qu'Eddie y avait vécu cinq ans. Il en avait gardé et en garde encore un amour inconditionnel.

– C'est un pays merveilleux, unique. Les Australiens sont chaleureux, attachants; il fait beau, pas le paradis... mais presque. Il faut absolument que toute la famille connaisse ce pays, cette culture, vive cette expérience.

Quand Eddie dit : « Il faut », mieux vaut ne pas protester; il sert tellement de motifs valables et convaincants pour justifier son idée que je finis par oublier le pourquoi de ma protestation. Mais, en toute sincérité, l'idée d'aller en Australie me séduisait aussi.

Un événement vint renforcer notre décision. Eddie et moi étions enseignants. Nous avons toujours aimé notre travail et y avons mis tout notre cœur. Même si elles avaient procuré aux enseignants des gains pécuniaires tangibles, les dernières négociations nous avaient un peu déçus. Nous avions l'impression d'avoir perdu des valeurs importantes. Comme nous enseignions tous deux dans des classes de récupération, nous étions très impliqués avec nos élèves dont certains avaient de graves problèmes : c'était difficile mais combien valorisant. Bien appuyés par la direction et par les psychologues, nous étions leur dernière chance. Nous formions une équipe formidable de neuf professeurs et trois assistants. Nous travaillions ensemble dans un but commun, permettre à ces élèves de réintégrer les classes régulières. Et nous y parvenions ! Malgré cela, on parlait d'annuler ce projet qui durait depuis quelques années... Ce ne fut pas le motif principal de notre départ mais un incitatif non négligeable. Eddie demanda un congé sans solde; on le lui refusa. Alors, que diable ! Nous voulions voir l'Australie, pourquoi ne pas y aller maintenant ?

Nous avons d'abord calculé le coût d'un tel voyage. Nous voulions visiter le plus d'endroits possibles, profiter de chaque escale de façon agréable et intéressante. Il fallait inclure pour nous cinq le coût des billets d'avion, des séjours à l'hôtel, des visites, etc. Nous comptions faire quelques escales : Los Angeles,

Hawaï, Fiji et la Nouvelle-Calédonie. Tout fut passé à la loupe. Les billets d'avion coûtaient 3 855 dollars, aller simple, plus neuf nuits d'hôtel et dix jours de voyage. En Australie, nous aurions besoin d'au moins 10 000 dollars pour l'achat d'une auto et de meubles usagés qui seraient revendus au départ. De plus, il nous fallait disposer d'un coussin de 5 000 dollars pour le voyage de retour et les en-cas.

– Eddie, je laisse rien au hasard ! S'il arrive un pépin, j'veux être certaine de pouvoir revenir.

En Australie, Eddie enseignerait : nous pourrions très bien vivre. Il fallait donc au moins 20 000 dollars pour mener à bien ce voyage. Même si nous avions quelques économies, c'est alors que l'expression planification financière prend son vrai sens. Il faut vouloir et s'en tenir à l'essentiel. C'est une expédition de taille, mais pas impossible. Nous avons défini nos priorités, adapté notre budget et surtout boutonné nos poches. J'admets que je suis excellente ministre des finances, bonne cuisinière et assez bonne couturière. Eddie, lui, un vrai Monsieur Bricole; il répare tout et rien ne cloche dans la maison.

Après quatre années d'absence, j'ai repris l'enseignement au début de 1975. Comme jusque-là, nous réussissions à bien vivre et même à économiser un peu avec le salaire d'Eddie, nous avons pu continuer ainsi et sans toucher à un sou du mien. Le départ fut fixé à juillet 1976. Le moment était bien choisi. Ed et Muriel pourraient facilement s'intégrer dans un nouveau milieu scolaire; Lynda débuterait à la maternelle. Ed, qui voulait devenir imprimeur, serait choyé. L'Australie peut se vanter d'avoir un système d'apprentissage (*Apprenticeship*) efficace. Trois semaines par mois, il travaillerait dans une imprimerie à apprendre les rouages du métier, la quatrième serait consacrée à la théorie dans une école de métiers. Le stage s'annonce bien structuré, les apprentis encadrés et les progrès suivis de près. De plus, excellent incitatif pour de jeunes adolescents, le stagiaire est payé durant les trois ou quatre années de son apprentissage. La rémunération qui se situe à 65 dollars par semaine la première année croît légèrement à chaque année subséquente. Il en est ainsi pour tous les métiers. Ce système a fait ses preuves depuis plus d'un demi-siècle. Ed était emballé.

– J'vais être payé pour apprendre, c'est écœurant ça ! Papa, ça s'peut presque pas ! C'est assez pour que j'me mette à aimer l'école !

Muriel continuerait en cinquième année. À prévoir, toutefois, une adaptation majeure; elle devrait aller à l'école anglaise. Comme nous sommes tous deux bilingues, nous parlions de temps à autre en anglais aux enfants. Il fut convenu qu'au souper tout se déroulerait en anglais. Ce ne fut pas toujours facile; ça exigeait de tous des efforts constants. Ed se débrouillait très bien, Muriel un peu moins, parfois elle refusait nettement de parler, le faisait du bout des lèvres ou limitait ses interventions. Si elle voulait du beurre, du pain, du lait, etc., elle pointait du doigt, mais on ne lui simplifiait pas la tâche.

– C'est pas poli de pointer du doigt.

Personne ne bougeait et elle nous fusillait du regard. Pauvre chouette ! Il fallait insister et l'encourager. Pour faciliter son intégration en classe australienne, nous avons décidé de l'envoyer à l'école anglaise l'année précédant notre départ. Chaque soir, je l'aidais aussi. Lynda, elle, ne connaissait pas un mot d'anglais, mais j'étais convaincue qu'elle apprendrait vite avec les autres enfants. Nous croyions qu'ils poursuivraient leurs études sans trop de difficulté. C'était primordial.

Nous avions déjà trouvé un locataire pour notre maison. Notre ami Rémi y veillerait. Monique Vallée-Gagnon, une autre amie, s'occuperait des papiers importants. Nous partions en paix.

Certains de nos confrères et consœurs étaient renversés de notre décision. Ils soufflaient le chaud et le froid.

– Y avez-vous pensé ? Au bout du monde, avec trois enfants. Changer d'amis, d'école, de pays ! Ils vont être déboussolés. Votre maison va être abîmée, vandalisée ! Imaginez si... si...

Quelquefois, l'une d'elles me prenait à part.

– T'es pas énervée de partir ? T'as pas peur ? Puis plongeant son regard dans le mien, ça doit t'faire un drôle d'effet en dedans.

Je vous jure qu'on aurait cru Freud cherchant à brouiller ma matière grise. Je disais non mais des fois, je me demandais si j'étais normale. Eddie me disait de ne pas m'en faire. D'autres affirmaient : « Ah, que j'aimerais partir, mais on peut pas, pas d'argent ! Un jour peut-être, quand les enfants seront grands ! »

Laisser la maison ne m'inquiétait pas. Ce n'était qu'une maison, des plafonds, des murs, des planchers. Quand nous l'habitions, c'était un foyer; autrement, ce n'était qu'une coquille sans chaleur et sans âme. Et les réparations, Eddie s'en chargerait au retour. Ces détails n'entraient même pas dans nos préoccupations. Voyons, s'inquiéter pour du placoplâtre ou du tapis ! Nous tâchions de régler les vrais problèmes. Nos passeports étaient en règle, mais notre visa tardait, ce qui n'avait pas empêché Eddie d'acheter les billets.

– Attends un peu, s'ils refusent, nous perdrons cet argent.

– Impossible, l'Australie a besoin de nous. Fie-toi à moi !

N'empêche que les procédures d'immigration furent difficiles. Nous avons dû nous présenter deux fois à l'ambassade australienne à Ottawa, expliquer clairement les motifs de notre départ, divulguer nos états financiers; même Ed et Muriel furent questionnés. Enfin, notre demande fut acceptée : on nous assura que notre visa arriverait à temps, mais il tardait toujours. Eddie était confiant; moi, un peu moins.

Les dernières semaines furent mouvementées, agréables, mais aussi pénibles à certains moments. Ce furent les emplettes de dernières minutes : avant de partir, il fallait s'assurer que chacun ait les vêtements et les articles nécessaires au voyage et à l'arrivée; nos cercueils pouvaient tarder. Il fallait bien planifier. Puis vinrent la ronde de la parenté : Toronto, Sudbury, Saint-Jean, Bathurst, Lamèque, Tracadie, Paquetville, Rivière-à-la-Truite, les visites aux parents et amis plus près de nous. Une famille de douze enfants aux liens très étroits, ça oblige ! Eddie avait un frère et deux sœurs.

Respectivement âgés de soixante-quinze et soixante-seize ans, mon père et ma mère étaient à la fois peinés et émerveillés de nous voir partir si loin. Mon père regardait la mappemonde, s'informait des distances et des coutumes des gens de ces pays.

– Vous êtes certains que vous serez pas en danger ? C'est du vrai monde comme nous qui vit là ? C'est sur la même planète qu'ici ? Il va falloir traverser bien des pays, bien des mers.

Il se promenait, de long en large, les mains dans les poches.

– Tu sauras, sa mère, que c'est plus loin que l'autre bord. Ah oui ! bien plus loin que les vieux pays.

Et ma mère de renchérir : « Ah, oui ! j'y ai pensé. Ils sont rares les gens qui font des voyages de même. J'ai demandé à notre docteur s'il était déjà allé en Australie. » Il m'a répondu : « Non, madame ! » Je lui ai dit : « Ma fille y va avec sa famille. » Il avait ajouté : « C'est loin ! Tout un voyage ! »

Je pense qu'elle s'était déclarée malade pour lui annoncer la nouvelle. Elle ne ratait jamais une occasion d'en parler. Le téléphone souffrait d'épilepsie et ses amies commençaient à avoir les oreilles rouges. Elle était à la fois fière et un peu inquiète.

Elle était debout, affairée à préparer le dîner quand Eddie lui dit que nous voulions aussi visiter l'Asie et l'Europe, que nous nous rendrions probablement à Rome. Interloquée, elle dut s'asseoir. Voir Rome, c'était réaliser l'impossible, un quasi-miracle parce que, pour ma mère, visiter le Vatican, voir le pape, même de loin, c'était un peu comme être reçu dans le salon de Dieu, prendre place à ses côtés. C'était atteindre le zénith, le sommet de la sainteté. La foi de ma mère n'était pas celle d'une punaise de sacristie. Non ! Une foi simple, inébranlable, vécue. En lui annonçant notre passage à Rome, nous venions de monter d'un cran dans la hiérarchie familiale. Je me parais d'une auréole mais comme m'a dit Annette : « Enfle-toi pas trop la tête, tu seras probablement pas canonisée ! »

Ma mère était ébahie, même si certaines choses la rendaient perplexe.

– La terre est ronde, à ce qu'on dit. Vous allez être au-dessous, la tête en bas. Je me demande comment vous allez faire pour vous tenir debout. Pouvez-vous m'expliquer comment l'eau fait pour rester dans le rivière quand on est sous la boule ? C'est difficile à comprendre.

C'est un peu vrai. En voyant les bateaux disparaître à l'horizon, je m'étais moi-même souvent demandé comment ils pouvaient rester à flot sur une terre ronde. Ma mère en était à ce stade; ça l'intriguait.

Chère maman, je n'oublierai jamais nos adieux. Je vous revois, près de mon père, frêle silhouette dans l'aube naissante. Mon père se raclait la gorge, vous, vous restiez muette. Les larmes glissaient silencieuses sur votre beau visage buriné par la vie.

– Oubliez pas d'écrire et faites attention à vous autres. On va prier pour vous.

Je ne voulais pas les laisser ainsi, alors je baissai la vitre et lançai : « Maman, t'en fais pas, je dirai au pape que je vous connais bien tous les deux. »

Ils se mirent à rire, mais je savais qu'elle pleurerait plus tard. Je pleurais aussi. J'espérais que rien ne leur arriverait pendant ces années. Mon cœur ne pouvait se faire à l'idée qu'à mon retour, ils ne seraient peut-être plus là. Nous avions passé une semaine chez mes sœurs Annette et Raymonde.

Annette, mon âme sœur, est charitable et généreuse; un trait de famille, je pense. Nous partageons nos joies et nos peines; nos cœurs battent au même rythme; nous sommes deux fèves dans une même cosse. Je l'aurais volontiers emmenée avec nous.

Raymonde m'est aussi très chère. Que de plaisirs nous avons partagés ! Ensemble, nous avons fait les quatre cents coups. Quand je pense à elle, je ris intérieurement. Je me remémore son premier long voyage, un voyage à Hawaï, fait quelques années auparavant. Avant son départ, je lui avais fait une frousse.

– Tu vas voir, en plein vol, le pilote va venir vous parler.

– Comment ça ? Qui va piloter l'avion ?

– Personne, il le met sur le pilote automatique, mais (longue pause) ça peut être dangereux.

– Tu me niaises !

– Non, non, mais t'en fais pas, il y a un gros coussin gonflable, sous ton siège... au moins la grandeur d'une feuille mobile ! Si l'avion descend à pic, attrape le coussin, puis vite !

Elle me regardait, pas trop certaine si je blaguais ou non. On se jouait souvent des tours. Avant notre départ, elle me remit un petit coussin.

– Edna, tu te rappelles ce que le pilote fait en plein vol ? Tu sais quand il laisse l'avion voler seul. Eh bien, ma chère, n'oublie pas le maudit petit coussin gonflable quand tu survoleras la mer infestée de requins, puis pense à moi. Je prierai pour toi !

La veille, le long de la grève, Annette et moi avions marché main dans la main; nous avions regardé la mer couvrir les battures, contemplé les vagues qui léchaient les dunes de sable. Je m'étais imprégnée de cette odeur saline, j'avais emmagasiné cette paix, cette détente bienfaisante qu'elle me procurait. Je m'étais endormie bercée par son ronron, et la douceur de son clapotis. Je ne me lasse jamais de la mer. C'est pour cela sans doute que mon corps et mon esprit sont au Québec mais que mon cœur reste d'Acadie.

Le père d'Eddie était décédé plusieurs années auparavant et son frère Bertrand un mois plus tôt à quarante-six ans. Âgée de quatre-vingts ans, la mère d'Eddie était très affectée de notre départ. Son autre fils s'exilait au bout du monde. Elle était là dans sa berçante; son regard allait de l'un à l'autre comme pour se rappeler chaque trait de nos visages.

– Je vous reverrai pas, j'en suis certaine.

Eddie la prit dans ses bras, la tint serrée contre lui pour lui redonner courage.

– Voyons, maman, ça sera pas long; t'auras même pas le temps de t'apercevoir de notre absence.

– Les jours allongent avec l'âge. Ils finissent plus de durer.

Notre départ allait ajouter à sa douleur. Il me semble que les peines et les souffrances ne devraient pas troubler la quiétude du couchant de la vie, mais elles ne respectent malheureusement pas les années. Elles arrachent les dernières parcelles de bonheur sans égard pour les cheveux blancs, comme si, avec le temps, le cœur perdait sa faculté d'aimer. Mes belles-sœurs Grace et Clara prétendaient être contentes de notre départ.

– Bon débarras ! Enfin, on va être délivrées de cette Arseneault. La sainte paix ! Vous y allez juste pour deux ans ? Au prix que ça coûte, vous pourriez rester au moins... au moins une dizaine d'années... OK !

Grace venait nous voir au moins deux fois l'an, parfois plus. Elle aimait rire et partager nos joies. Quand nous lui rendions visite, alors là, elle nous préparait un festin. Du poisson du matin, venu directement du pêcheur. Un généreux poisson farci enrobé dans de belles tranches de bacon frais, cuit au four et servi avec des petites patates nouvelles et du pain qu'elle venait de boulanger. Un régal ! Elle me manquerait, mais pas seulement pour ses talents culinaires.

Le retour à Laval fut plus silencieux, chacun perdu dans ses souvenirs. Il fallut secouer nos pensées. Les enfants se demandaient si nous avions changé d'avis. Au Québec, les adieux ne se firent pas sans émotions. Avec mes sœurs Irène et Alvina, je partageais des années de souvenirs, des tête-à-tête passionnants, des soirées avec nos enfants, des minutes amusantes mais aussi des moments douloureux. Alvina, la copie carbone de notre mère : elle aime rire, a la théière toujours prête. Irène, c'est notre père : son courage, sa détermination, une vraie dynamo. Suivent aussi tous les autres de la famille, surtout mon frère Émile qui m'avait acheté mes premières lunettes, mes premiers patins, mes livres et des vêtements pour l'université; il venait souvent me voir. Bien sûr, je n'oublie ni Alvida, le boute-en-train, ni Edgar, ni Omer, ni Lorraine.

Enfin, les adieux aux vrais amis, ceux qui nous acceptent tel que nous sommes, avec qui nous partageons non seulement les joies et les peines, mais aussi les secrets à conserver loin du téléphone arabe familial. Peu nombreux, mais combien précieux ces amis qui, au fil des ans, nous deviennent de plus en plus chers ! Chaque rencontre avec eux est un plaisir renouvelé. Nos yeux s'allument à leur approche; nos cœurs s'émeuvent de leurs chagrins.

Plutôt difficile d'évaluer l'évolution de nos relations quand nous partons à l'étranger. Certes, nos parents resteront toujours nos parents mais que deviendront nos amis ? La vie de bohème fait en sorte que nos idées changent. Vont-ils nous oublier ?

Enfin, après bien des démarches et des contretemps arrive le Grand Jour, celui du 22 juillet 1976. Nous avons réussi à boucler les valises, à respecter la limite permise, 22 kilos chacun. Dire le nombre de fois que je suis montée sur le pèse-personne avec les valises ! Impossible ! J'avais l'impression de pratiquer l'aérobic, de faire partie des Weight-Watchers.

L'avant-dernière journée s'envola en coup de vent. Toujours pas de visa. J'étais au seuil de la panique, mais Eddie restait d'un calme olympien.

– Tracasse-toi pas, ils sont au courant que nous partons dans deux jours, on va l'avoir. Fie-toi à moi !

Facile à dire ! C'est bien beau, mais en réalité, tout avait été planifié et nous n'avions toujours pas le fameux papier. À sept heures, un appel d'Ottawa.

– Votre visa est arrivé.

– Dépêche-toi, Edna ! S'il fallait qu'ils changent d'avis !

Eddie me taquinait. L'aller et retour se fit en un temps record. À midi, nous étions de retour. Le téléphone commençait à sonner; les adieux de dernières minutes. Nos voisins Nick et Lynda Dardano nous interpellent.

– Passez dans notre cour boire le coup de l'étrier.

Comment refuser ? Lynda nous accueille un gallon de vin dans une main et un plat de hors-d'œuvre dans l'autre. Nous avons tellement de plaisir ensemble. Heureusement, la cruche est loin d'être pleine. Eddie et Nick prennent un verre; Lynda et moi deux ou trois; puis, en folie, nous lançons la cruche dans la haie. Nick fils, cinq ans, nous regarde de ses gros yeux ronds. Eddie et Nick font semblant d'être scandalisés. Ils en rajoutent.

– Une chance que vous partez, il aurait fallu les inscrire dans les AA.

Nous regagnons la maison, le sommeil se fait attendre. J'ai peine à croire que je me suis embarquée dans une telle aventure. Je suis toute drôle en dedans. Il me semble que l'Australie se situe à des années-lumière. Je me sens si petite. Mon corps voudrait disparaître; pourtant, mes yeux pétillent d'impatience, mon cerveau bouillonne d'anticipation. L'énormité de ce que nous allions entreprendre me saisit ! Témérité ? Inconscience ? Un peu tard, nous avons franchi le Rubicon. Allons-y ! Faisons le saut et sans filet.

À quatre heures et demie, le réveille-matin me tire de ma torpeur. On s'habille à la hâte, il faut faire diligence. Tant mieux ! Je n'aurai pas le temps de penser. Lynda qui ne s'était endormie qu'à minuit, trop excitée à la perspective de partir le lendemain, se réveille exubérante.

– On est demain, on s'en va, hein maman ?

– Oui, chérie.

– Je le sais parce qu'hier tu m'as dit qu'on partait demain; alors, on est demain, on part.

Merveilleuse logique enfantine. Ed et Muriel vérifient leur sac de voyage, ils ont hâte ! Eux aussi sont excités, mais ils prennent un air détaché. Ils sont « trop vieux » pour le laisser paraître. Notre ami Rémi Lessard et son fils Guy arrivent pour nous conduire à l'aéroport. Jeanne-Mance, que nous appelons affectueusement Jeanie, n'est pas venue, ni la parenté. Elles ont compris. Nous ne voulons pas de longs adieux. Jeanie regardera « notre » avion survoler sa maison.

À l'aéroport, Eddie fait vérifier nos valises. Nous sommes inquiets : quelques kilos en trop ! On nous laisse passer sans pénalité. On scrute nos billets, nos visages. L'Australie ! Nous devions avoir l'air respectables ou bizarres, partir au bout du monde avec trois enfants.

À six heures quinze, nous disons au revoir à nos amis qui promettent de venir nous voir en 1977. Nous flânons... Eddie achète quelques magazines et des friandises aux enfants. La belle vie commence. J'ai le cœur en joie : rien à faire pendant dix jours, pas de repas à préparer, pas de nettoyage, juste se faire servir, un luxe inconnu des mères.

Enfin, nous nous dirigeons vers la porte de départ, mais elle est bien plus loin que nous pensions, à l'autre extrémité de l'aéroport. Nous hâtons le pas. Je suis énervée, Eddie garde son calme habituel ! Nous sommes les derniers à monter à bord, tous les passagers sont assis. Ouf ! Heureusement pour nous, Eddie est l'expert en voyages ! Billets, passes d'embarquement, douane, il s'occupe de tout et arrondit les angles.

– Voyons, l'avion pouvait pas partir sans nous !

Comme si Air Canada se souciait de nous ! Muriel chuchote :

– Maman, oublie pas de noter le nom de chaque compagnie d'avion que nous allons prendre. Je veux un album souvenirs.

L'avion, un 747 rempli à capacité. Va-t-il pouvoir s'envoler ? Après un tour de piste, il s'élève; mon cœur aussi ! Nous montons vers la lumière, traversons des nuages, sommes au centre d'une floconnante montagne de neige caressée par le soleil. Je supplie le Créateur de veiller sur nous. Maman doit égrener son chapelet. On est en sécurité. Je pense qu'elle est en bon terme avec Lui. Mon cœur souffre de tachycardie joyeuse.

Je vais essayer de jouir au maximum de chaque instant. Je me suis conditionnée avant le départ. J'espère que je me suis convaincue. D'ailleurs, nous avons vingt-six heures de vol devant nous. Je vais me détendre le plus possible, tâcher de tout voir et d'emmagasiner chaque nouvelle merveille.

Naturellement, j'ai l'intention d'écrire en route. Sitôt installée, je sors cartable et crayons. Ed et Muriel ont déjà essayé les différents boutons à leur portée. Lynda n'est pas en reste. Elle veut tout savoir. Ed est un touche-à-tout et un explorateur. Il faut qu'il sache pourquoi et comment tout fonctionne. Il est servi. Muriel acquiesce. Il la taquine impitoyablement. Ils sont en parfaite symbiose. Lynda est trop jeune pour eux. Ils l'aiment, la protègent et la tolèrent. Ed n'a pas terminé son exploration. Il nous explique tout au fur et à mesure de ses découvertes.

Nous survolons de gros flocons blancs. J'éprouve une sensation bizarre. C'est comme si deux personnes occupaient mon corps. L'une d'elles, espiègle, sautille sur les nuages, se joue du danger, rit avec le soleil à la pensée des lendemains qui chantent; l'autre ne fait qu'effleurer le hublot de ses doigts et regarde la réalité. Une chance que les passagers ne voient pas mes pensées ! Eddie, lui, qui connaît mon imagination fertile, ne s'en formaliserait pas.

Les hôtesses doivent nous penser affamés parce que nous avons droit à trois repas et au vin à volonté; le tout durant notre envolée de dix heures et trente minutes. Pas étonnant que les billets coûtent si cher. Ce n'est pas aujourd'hui qu'on jeûnera ! Le vin coule à flots. Les langues se délient, la bonne humeur remplace l'anxiété du départ. La gaieté croît au rythme des consommations. Les hôtesses sont charmantes, gentilles et serviables, encore plus avec les enfants. Après le décollage, l'une d'elles nous invite à visiter le poste de pilotage. Le commandant a une attention particulière pour les enfants. Ed est bouche bée ! Que d'instruments de contrôle et de boutons de toutes sortes ! Un vrai paradis d'explorateur ! Je n'aimerais pas le laisser dans cette cabine à moins de lui mettre une camisole de force. Il est ébahi ! Le pilote explique comment faire monter et descendre l'avion, comment tourner... La visite ne me rassure pas. J'espère qu'il n'a séché aucun cours durant son entraînement, que les hôtesses l'oublient quand elles distribuent la boisson.

Nous survolons l'Arizona. Le commandant de bord annonce qu'il va faire pencher l'avion de manière à nous donner une vue spectaculaire du Grand Canyon. Ed et Muriel se demandent s'ils vont voir Evil Knievel, le casse-cou de la moto. Ils ne verront personne, mais se montrent philosophes.

– Ça fait rien, on a vu le Grand Canyon, c'est cool.

Nous atterrissons à Los Angeles. Nos yeux s'émerveillent. Pour la première fois, nous voyons des palmiers. Qu'ils sont hauts et majestueux ! Leurs cimes ondulent dans la brise. Muriel s'écrie :

– Regardez celui-là ! On dirait la tête de Charlebois.

– C'est vrai, un paquet frisé juste au faîte de l'arbre. Ils ont certainement copié sa coiffure. Ed est d'accord.

– Laissez faire les coiffures, faut y aller.

À peine à quelques heures de Laval et c'est le total dépaysement. Une navette nous conduit à l'hôtel : grande chambre avec deux lits doubles et un simple. Parfait ! J'aime être entourée des miens. Notre chambre donne sur la piscine;

les enfants disparaissent aussitôt. Eddie feuillette un guide touristique. Les enfants reviennent en courant.

– Wow ! On peut se baigner ! Maman, nos maillots, vite, vite.

– Écoutez, il y a un tour organisé d'Hollywood; il faut faire vite : il part dans quelques minutes, dure de quatre à six heures et coûte 30 dollars pour nous cinq. Pas si mal ! Ça vous tente ?

– Oui, oui...

L'enthousiasme n'est pas délirant.

– Est-ce qu'on pourra se baigner au retour ?

– Oui, certain ! J'vous jetterai moi-même à l'eau.

– OK. Cool ! On va jeter papa à l'eau ! Allons-y !

Ils sont amadoués. Hélas, à notre arrivée au terminus, les tours sont déjà partis. Dommage ! Malgré cela, la chance semble nous sourire. Un chauffeur d'un autre autobus nous offre le même tour gratuitement. « Ça c'est un bon Américain ! » enchaîne Eddie. Nous sommes debout depuis quatre heures trente, mais alertes; nous voulons tout voir. Notre emballement est communicatif. Nous exagérons un peu et les enfants se mettent de la partie. Ils regardent partout, scrutent les gens au passage. C'est merveilleux ! Les enfants nous entraînent à mieux regarder la ville, les rues, les boutiques, la foule grouillante. Nous sommes pris à notre propre jeu.

Je ne peux pas dire que cette ville m'impressionne. Elle est certainement différente de Laval et surtout de Rivière-à-la-Truite ! Chaque fois que je mentionne « Rivière-à-la-Truite », les enfants me taquinent :

– Maman, c'est même pas sur la carte, Rivière-à-la-Truite.

Ils le font exprès; chaque fois, ça me pique au maigre.

– Ça existe et ça existera toujours ! C'est une place merveilleuse.

– Ben oui, maman, ça existe et c'est merveilleux, ils l'ont juste oubliée quand ils ont fait la carte.

Je les battrais, mais ils ont tant de plaisir à me taquiner...

L'autobus nous promène dans Beverly Hills, lieu par excellence des gens riches et célèbres. Les maisons sont immenses.

– Pas pire comme cabanes. Papa, pourquoi on est pas riches ?

– Vous l'êtes, vous êtes ici !

– Ah, va falloir que je devienne comédienne.

– Mumu, t'auras pas à te forcer, tu joues toujours la comédie. Maman aussi, quand elle dit qu'elle nous aime !

– Regarde le paysage, Ed, tu vas apprendre des choses.

Nous roulons lentement, espérant apercevoir au moins un acteur, une actrice. Notre chance continue. Arrivés à une intersection, nous apercevons Mike Connors, *Mannix*, dans une décapotable. Ed baisse la vitre, l'appelle. Il se retourne lentement et le regarde. Les enfants sont en pâmoison.

– Wow, vous avez vu ça ? Mannix nous a regardés.

– Ed, il veut peut-être t'avoir dans ses films, dit Lynda.

Muriel pouffe de rire.

– Oui, pour cirer ses souliers.

Ed se lisse les cheveux, pose en faisant son paon.

– On sait jamais. Beau bonhomme comme je suis.

Des passagers éclatent de rire. Ils ont vu son geste et ont compris. Ed s'enfonce dans son siège.

Le Hollywood Bowl, cet immense théâtre en plein air, nous a impressionnés.

– C'est pas le théâtre de la grosse ville de Tracadie, hein, papa ?

– Tu y connais rien ! C'est la plus magnifique ville de l'Acadie.

Au tour d'Eddie. Ed et Muriel rient à ses dépens. Il se défend.

– Comptez donc combien de bancs il y a ici, ça vous occupera.

– Ambitionne pas, papa; on va passer la nuit ici. J'gagerais que tu l'sais déjà.

– Oui, ce théâtre a une capacité de 25 000 places.

Notre excursion ne saurait être complète sans une visite au Chinese Theatre ! Sur le trottoir, les empreintes des mains d'acteurs et d'actrices. Je fais photographier mes mains à côté de celles de Clark Gable, idole de ma jeunesse, Don Juan de mes rêves. J'explique aux enfants ma passion d'adolescente pour cet acteur. J'ai visionné son film *Autant en emporte le vent* au moins une dizaine de fois; je me rappelle toujours la première fois. J'étais à l'université. J'avais dix-sept ans. J'étais allée le voir avec quelques amies. Que de soupirs, combien de cœurs furent instantanément frappés d'arythmie. Beau, grand, chevaleresque, ce Clark Gable ! Quelle élégance ! Beaucoup plus tard, j'ai appris qu'il mesurait à peine 1,70 mètre, que les rêves de jeunesse ne sont que chimères. Je raconte tout ça aux enfants. Eddie m'encourage.

– T'en fais pas chérie. Il avait probablement rétréci avec l'âge !

Les enfants voient de leur mère un côté qu'ils ignorent. J'avais été jeune ! J'avais trippé sur un acteur ! Pour eux, Clark Gable faisait partie des dinosaures !

Aujourd'hui, Disneyland, le but de notre arrêt à Los Angeles. Les enfants ont hâte de partir. À l'entrée de l'hôtel, nous rencontrons des touristes qui sont allés à Disneyland la veille; il leur reste assez de billets pour quatre personnes. Ils nous les offrent. Pas de refus ! Et hop, en route.

Disney fut pour nous tous un véritable enchantement, mais je pense qu'il le fut encore plus pour moi. Les enfants sont nés avec le progrès, les découvertes; moi, comme on dit par chez-nous, je viens de loin. Il est tôt; tant mieux, nous serons parmi les premiers. La mère a plus hâte que les enfants. Enfin, nous y sommes ! Disneyland... quelle journée ! Notre premier arrêt le *Tiki Room*. Tout un spectacle ! J'écoute et regarde partout à la fois. Je suis ensorcelée. C'est un jardin suspendu : des fleurs et des oiseaux voguent sur des pirogues, le tout dansant au rythme d'une musique hawaïenne. Autour, sur les murs, des totems font entendre un bruit de tam-tam. Ce n'est pas tant la musique qui m'enchante, mais l'ensemble de toutes ces fleurs exotiques, toutes plus belles les unes que les autres, déployant leurs pétales; une panoplie de couleurs, chaque pétale suivant le rythme de la musique. Simultanément bougent en cadence les plumes d'une multitude d'oiseaux, de perroquets multicolores. Pour ne pas être en reste, les totems aux visages vannés clignent des yeux et chantent; leur voix de basse envahit la salle. Mes yeux sautent des fleurs aux oiseaux, aux tam-tams.

Je suis redevenue petite fille. Le corps vieillit, mais l'esprit ne perd jamais sa capacité de s'émouvoir, de s'émerveiller. Les battements de mon cœur troublent ma vision. Les larmes glissent librement, sans honte. Mes pensées s'envolent vers ma famille, ma belle-famille. Comme j'aimerais qu'elles soient à mes côtés pour partager mon enchantement. Disneyland, un émerveillement, un baume pour l'âme, une thérapie pour l'esprit, un régal pour la vue. Les enfants sont envoûtés. Lynda ne touche plus à terre. J'aimerais arrêter le temps, le saisir et l'emprisonner, mais c'est toujours ainsi; il ne sait jamais s'arrêter quand on le veut ou avancer quand on le souhaite.

Les autres attractions et leurs sensations exaltantes nous ont toutes autant fascinés. La magie continue, une attraction après l'autre. Nous vivons un rêve, nous ne voulons pas nous éveiller. Quand, durant une promenade dans la jungle, les crocodiles bondissent hors de l'eau tout près du bateau, Muriel et Lynda sursautent si brusquement qu'elles tombent à la renverse, au grand plaisir d'Ed qui en a profité !

– Vous savez pas que c'est pas de vrais crocodiles ? Lynda, j'comprends, mais toi, Mumu, tu m'déçois.

– Puis toi, tu m'tombes sur la rate. Des compatriotes s'esclaffent !

La visite continue. Lynda et Muriel donnent la main à Mickey Mouse.

– Oui, oui, papa, Mickey Mouse, Goofy et Pluto !

Leurs yeux brillent, elles flottent. Hypnotisée, Lynda ne se réveillera qu'au départ. Ed et Muriel s'en donnent à cœur joie dans les autos-tamponneuses; ensuite, c'est le Matterhorn, copie de la montagne suisse du même nom.

– Viens, maman, tu vas voir, c'est pas dangereux, c'est écœurant !

Tout est écœurant, le beau comme l'excitant : la dernière trouvaille linguistique des jeunes. Froussarde, je n'y vais pas.

Nous terminons par une mini-croisière sur le Mark Twain. Maintenant réalités, tous ces noms qui n'étaient que des mots durant ma jeunesse.

À quinze heures, l'heure du départ, Eddie ne semble pas pressé.

– On peut pas manquer la parade. Les chars allégoriques sont décorés de milliers d'ampoules lumineuses. Un spectacle qu'il faut pas rater, le summum de l'imagination.

– On veut l'voir, on a l'temps, maman. Papa l'a dit, il connaît ça.

Je suis en minorité. Nous restons. Spectacle inoubliable. Nos yeux clignotent et s'écarquillent. Ils veulent tout voir. D'immenses chars allégoriques, des personnages, des animaux qui scintillent de mille feux. Quand Lynda aperçoit Blanche-Neige habillée d'une longue robe tout illuminée et les sept nains aussi étincelants, quand elle voit Donald, Mickey Mouse et tous les autres, elle ne tient plus en place. Elle frissonne, nous aussi. Nous sommes ailleurs et l'ailleurs est magique !

C'est l'heure du départ. Nous sommes à 35 kilomètres de l'hôtel, la circulation est dense. La panique m'étreint, mais je chantonne répétant les mêmes mots comme un vieux disque usé. Je me suis juré de ne pas transmettre mes phobies à mes enfants et je pense avoir réussi au-delà de mes espérances. Ils sont autonomes, sûrs d'eux, même trop à mon avis. Eddie siffle. Moi, comme dirait mon père, je fais du sang de cochon. Les minutes volent, pas nous. Il est dix-sept heures trente, notre envolée est à dix-huit heures trente. Nous devons retourner à l'hôtel prendre la navette qui nous conduira à l'aéroport.

– Souris, chérie, tu sais que tu t'inquiètes pour rien.

– Oui, maman, souris, la vie est belle.

Je l'adore, cet homme; mais des fois, je lui tordrais le cou. Il joue avec mes nerfs. Enfin, l'hôtel ! Il reste quinze minutes. En un clin d'œil, nous sommes lavés, changés, propres et beaux.

– T'as même eu l'temps de faire de belles tresses françaises à Lynda. Allons-y ! Direction Hawaï.

L'avion est bondé, un air attirant, langoureux, magique nous entraîne dans une douce euphorie catatonique. Elle présage du plaisir des îles et de jours de bonheur.

– La musique donne envie de danser.

– Envoye, Mumu ! Va nous faire une petite démonstration.

– Es-tu fou, Ed ? Vas-y si ça te tente.

– Voyons, j'peux pas; les hôtesses se lanceraient sur moi. J'me ferais agresser. Maman serait pas contente. C'est vrai ?

– Oui, oui. Restez assis. Sois beau, puis tais-toi !

Je regarde cette foule de passagers. Où vont-ils tous ? Rejoindre un parent, des amis ? J'ai l'impression que l'allée va à l'infini. Le vin et le champagne coulent encore à flots. Oh ! ces temps merveilleux où tout semblait possible. À peine le souper servi, Lynda s'endort, la tête dans son assiette. Un film d'Hitchcock me fascine. J'adore ces films aux intrigues intelligentes; impossible d'en deviner le dénouement. Ed et Muriel regardent quelque temps, puis le sommeil les envahit. Eddie lit le *Time*, sa bible.

Atterrissons à Honolulu à vingt et une heures trente, heure locale, mais minuit, à notre heure. Sitôt douchés, sitôt couchés; le premier mouton a à peine levé les pattes avant pour sauter la clôture que je suis endormie. Les autres moutons n'ont pas plus de travail avec Eddie et les enfants, mais à six heures trente, nous sommes tous éveillés. Le décalage horaire.

On flâne un peu, on déjeune tranquillement, puis Eddie va louer une voiture. Hop, nous partons explorer l'île. Le soleil nous accompagne, j'ai le cœur à la fête. Ça doit être contagieux parce que les rires fusent d'en arrière. Longeons la plage de Waikiki et ses nombreux hôtels.

– Maman, faut que t'arrêtes au magasin. J'ai pas de maillot.

– Ça fait rien, Lynda, tu t'baigneras toute nue !

– Jamais ! J'serais trop gênée. Tu t'baignerais nue, toi, Mumu ?

– Moi, c'est pas pareil; tous les gars me regarderaient.

– Rêve pas en couleur Mumu; si j'te pinçais le nez, il sortirait encore du lait. Il y a rien à voir !

Muriel ne le trouve pas drôle, mais Lynda a le fou rire.

Le lendemain, nous lions meilleure connaissance avec l'île.

– J'veux d'abord visiter Pearl Harbour.

– Qu'est-ce qu'il y a de spécial à Pearl Harbour ! Des perles ?

– Oh non ! C'est là que les Japonais ont attaqué les Américains, une attaque surprise. (Eddie)

– Pourquoi ils les ont attaqués ? (Mumu)

– Les Américains sont une grande puissance, le Japon aussi. Si les Japonais avaient pu les battre, ils auraient été les plus forts.

– Oui, Lynda, mais ils ont pas réussi. (Eddie)

– Parce que les Américains avaient une arme secrète : la bombe atomique.

– Comment tu sais ça, toi, Ed ?

– Mumu ! Quand vas-tu savoir qu'il y en a dans cette tête-là ?

– Veux-tu bien laisser papa continuer ?

– C'est vrai ! Les Japonais avaient tué beaucoup d'Américains, coulé plusieurs bateaux...

– Ça fait que les Américains les ont avertis : « Arrêtez tout de suite, sinon on vous zigouille. » Les Japonais les ont pas crus... alors, les Américains ont mis le paquet, la bombe.

– C'est pas tout à fait ça qu'ils ont dit, Ed.

– Ça revient au même, papa. Ils ont détruit une grosse ville, Hiroshima.

– Les Japonais ont continué pareil... alors, les Américains les ont salés encore une fois... trois jours plus tard, une autre ville.

– Là, tu sais pas quelle ville ?

– Tout de même, Mumu, faut bien que papa montre qu'il en sait un petit peu plus que moi... sinon, il va avoir un complexe !

– C'était Nagasaki. En tout, plus de 200 000 personnes tuées, brûlées... un massacre. Le Japon avait aussi attaqué Hong Kong. Plusieurs Canadiens, des Québécois et des Acadiens ont été tués ou fait prisonniers.

– C'est pas mal plus de monde que la ..., maman ?

– Cré Ed, pour dédramatiser une situation. (Lynda)

– Mais c'est terrible ça. C'est fou les guerres; j'aime pas ça. Parlons d'autres choses. J'aime pas beaucoup Pearl Harbour.

Au cimetière érigé à la mémoire des soldats américains, un couple de Japonais vient nous serrer la main. Ils sont émus, regardent les milliers de pierres tombales.

– Peut-être que leurs enfants ont été tués aussi...

– Un peu par leur faute, Mumu.

– Mais non, ce sont des gens comme nous; tous les Japonais ne voulaient pas la guerre.

– On va se promener, maman ?

– Oui, ma Dada, il y a bien d'autres choses à voir.

Nous visitons un village polynésien, goûtons au *poy*. Les bananiers et les cocotiers poussent abondants, mais les fruits sont très hauts. Encouragé par Muriel et Lynda, Ed se hisse assez haut pour en cueillir.

– On les apporte à l'hôtel, hein, papa ?

– Oui, Ed, tu les a gagnés, t'es pas mal brave !

Il grandit instantanément. Muriel renchérit sur un ton plus bas.

– Brave ou gourmand.

– C'est toi qui en voulais, t'avais trop peur de monter, *I am very brave* ! (Il articule à la française.)

Nous longeons la mer. Bleu foncé et limpide, elle nous invite. Les enfants veulent s'y baigner. On leur accorde une heure, ils s'en donnent à cœur joie, puis se font sécher au soleil. Hors mer, les champs de cannes à sucre et d'ananas s'étalent à perte de vue; nous nous arrêtons à une plantation d'ananas Dole. Incroyable que de si gros fruits poussent sur de si petites plantes. On nous offre des tranches d'ananas saupoudrées de sel. Exquis ! Différent du goût des ananas en boîte. Un grand champ d'ananas se dessine juste au bout du stationnement. Bien en évidence, un écriteau « Défense de cueillir ». Prise de photos et « prise » d'un beau gros ananas même si... J'ai un peu honte en le disant, juste un peu... Il était si bon. *Mea culpa* ! Nous retournons à l'hôtel.

Eddie fait une petite sieste, Muriel et Lynda dorment, Ed regarde la télé.

– Si vous voulez aller faire un tour en ville, j'garderai le fort.

Nous en profitons. Nous y allons. Nous montons au deuxième étage d'un club. Au premier, un square; au centre, un immense palmier; tout autour, une exquise petite maison japonaise, des boutiques et un hôtel. L'intérieur de notre club ressemble à une scène d'un vieux film de Bogart, *Casablanca*. L'ambiance est unique. Des éventails tournent lentement; au bar, des hommes et quelques femmes d'un air nonchalant grillent une cigarette, sirotent leurs drinks pendant qu'un juke-box des années cinquante s'évertue à répandre une musique de la région. Les femmes ont le regard langoureux. Les hommes bombent le torse. La chasse est ouverte. C'est très piquant. Nous commandons une boisson locale : du rhum, du jus d'ananas et d'autres jus de fruits, très bons, pas chers, mais corsés. Ils ne lésinent pas sur le rhum. Nous savourons notre verre tout en écoutant « l'orchestre » et en regardant danser quelques couples. L'un d'eux attire notre attention. Grande, jeune et belle, d'une beauté naturelle et sans artifices, chaussée d'escarpins noir vernis, le corps en parfaite fusion avec la musique, la femme ondule lascivement. En vis-à-vis, les mouvements totalement en discordance avec le rythme du juke-box, l'homme, lui, pas très grand, les cheveux lisses de brillantine, la fixe avec intensité. Ils semblent inconscients des gens qui les entourent. Nous retournons à notre hôtel. Les enfants dorment profondément.

Réveil à neuf heures. Déjeunons et décidons de passer la journée à l'hôtel. Sommes encore fatigués. Notre envolée vers Fiji n'est qu'à vingt-trois heures trente. Entourée de palmiers géants et de fougères tropicales, la piscine invite, irrésistible, les enfants. Partout, une envoûtante musique hawaïenne, une brise douce et caressante. Des serveurs vont et viennent, transportent des consommations servies dans des ananas ou des demi-pamplemousses. Je me sens un peu comme Ivana Trump... moins le pognon. J'ai tiré le bon numéro. Des souvenirs émergent de ma tête. Ah, maman ! Si tu pouvais voir ta fille, que de choses tu pourrais dire ! En fermant les yeux, je la vois à mes côtés, dans un état de ravissement total. Fort loin de moi, les plages de la Pointe-à-Bouleaux, près de Tracadie; pourtant, je me souviens d'une petite rivière !

Nous parlons avec quelques couples pendant qu'Ed, Muriel et Lynda s'ébattent dans la piscine. Nous les rejoignons. Lynda fait ses premiers essais pour la nage. Ed et Muriel l'encouragent, fiers d'elle; ils ont un plaisir fou. Eddie ajoute son grain de sel : « Envoye, Lynda, t'es capable; t'es une championne. » Il a le don de les stimuler. Le soleil plombe; nous devons insister pour les faire sortir de l'eau de temps en temps.

Muriel s'approche. Elle a quelque chose d'important à dire. On est habitués, avec Muriel, c'est toujours important.

– Aimes-tu ça ici, maman ? On pourrait rester. On est pas obligés d'aller en Australie. Ed et Lynda veulent rester aussi.

– J'comprends, mais on a nos billets; papa a un emploi là-bas et il fait beau et chaud en Australie. On a tellement d'autres choses à voir.

– J'savais que tu dirais non, mais on aime ça quand même ici.

– Je sais, mais le voyage n'est pas terminé; demain, nous serons dans un autre pays.

– Oui, c'est vrai, à Fiji. Est-ce qu'on peut avoir un jus, pas dans un verre, dans un ananas ? Eddie appelle le serveur.

– Ed, Lynda, on va avoir un jus dans un ananas !

Ils s'assoient sur le rebord de la piscine, tètent leur jus, rient, puis replongent.

Le souper est à peine terminé que les enfants s'accroupissent sur le lit devant la télévision. Quelques minutes plus tard, tous tombent endormis, d'un sommeil de plomb; de vraies poupées mécaniques dont la pile s'éteint. Au moment du départ, il faut les secouer pour les réveiller. Ils s'habillent comme des somnambules, dorment partout, de l'hôtel à la navette, pendant le trajet à l'aéroport. On se demande si c'est Ed qui, accoté sur son père, porte sa valise ou si c'est la valise qui le traîne ? Muriel tire la sienne, marche collée sur moi, la tête sur mon épaule pendant que Lynda ronfle dans les bras d'Eddie. Quel spectacle ! À l'aéroport, dès notre entrée dans la salle d'attente, des passagers éclatent de rire. Muriel entrouvre un œil, le referme; Ed essaie courageusement de se redresser, mais dégonfle aussi vite. C'est hilarant. Ils continuent de dormir jusqu'au départ, même quand nous traversons cahin-caha la passerelle. Ils ne se rendent pas compte qu'on avance. Dès qu'ils sont installés dans leurs sièges, ils poursuivent leur profond sommeil. Nous les couvrons avec des couvertures... L'avion prend son envol.

Il fait nuit. Trois heures quarante-cinq. Nous atterrissons à Nandi, l'aéroport de Fiji. Les enfants ont dormi pendant tout le vol. Un matin radieux, un temps béni, comme disait ma mère. Les fenêtres sont ouvertes. Dans l'aérogare, des oiseaux sautillent çà et là. Nous passons la douane. Les employés sont beaux, grands, musclés, noirs; ils portent chemises, jupes et gougounes, sandales de plage. Les enfants les regardent, nous regardent, retiennent leur rire. Ils n'en croient pas leurs yeux, puis murmurent à tour de rôle. Lynda ne tient plus en place.

– Papa, maman, regardez; des hommes en jupe.

Nous leur jetons des regards meurtriers; ils n'arrêtent pas de regarder les hommes *jupés*, de chuchoter entre eux. On les entend à peine, mais ces hommes-là sont costauds, imposants; peut-être ont-ils l'ouïe fine. Ouf ! l'extérieur de l'aérogare... À bout de retiens-bien, les enfants éclatent de rire.

Enfin, au lit. Notre chambre n'est pas sur le même palier que celle des enfants; ça m'inquiète, ce pays inconnu. Je demande qu'on soit ensemble. Peine perdue : même si nos réservations remontent à plus de six mois, seules ces chambres sont disponibles. Je vais avec eux. J'attends qu'ils soient lavés et couchés. Je vérifie si leur téléphone communique avec le nôtre. Eddie me rassure; Ed insiste.

– On est pas des bébés; inquiète-toi pas, maman.

Même la puce se met de la partie.

– Non, non, on est pas des bébés.

Muriel qui la regarde n'ajoute rien. Je les laisse à regret, mais on ne m'y prendra plus. Dès huit heures trente, ils cognent à notre porte, tout fringants. Ils avaient dormi pendant tout le vol; eh bien, maintenant, ils sont dangereusement en forme. Debout, les braves ! Quel contraste ! Portes et fenêtres grandes ouvertes partout. Il fait beau. Les oiseaux chantent, les gens sont détendus. Le déjeuner, genre buffet, est prêt : des œufs, des rôties, des céréales, du thé, du café, du lait, etc. Il y avait bien eu aussi du beurre sur glace, mais déjà la glace est fondue : quelques mouches se baladent sur les cubes de beurre qui flottent dans l'eau. Tous mangent. Ça semble bon. Je regarde Eddie qui me supplie des yeux. Je comprends, mais mon estomac est un peu rébarbatif à la suite de notre aventure culinaire d'hier. Alors que nous faisions le tour de l'île d'Oahu, nous nous étions arrêtés à une cantine. Pendant que les enfants se délectaient de hamburgers, j'étais allée à la toilette. Dégoûtante, repoussante ! Je ne décrirai pas cette m..., cette odeur stagnante. J'en ai encore le cœur sur les dents. Alors, ce matin, je préfère m'abstenir; je ne fais donc aucun commentaire. Eddie me chuchote.

– T'en verras d'autres. Regarde, les gens ont l'air en bonne santé.

Tout bas, je lui répète ce qu'on dit en Acadie.

– On engraisse pas les cochons à l'eau claire.

– Edna ! Répète pas ça à haute voix !

– Papa, on va se promener. Fiji, les McGrath sont ici. Tiens-toi !

Ils sont pires qu'Eddie. Ils veulent tout voir. Ils trépignent.

– D'accord ! On s'en va visiter Lautoka. En route !

– Notre vieille Ford était plus confortable que ce bazou.

– T'as raison, Muriel. Mais elle roule, c'est l'essentiel.

Le siège droit avant n'est pas fixé solidement. Résultat, il balance un peu quand nous tournons. On rit comme des fous jusqu'à ce qu'on aperçoive un camion qui fonce sur nous. Eddie donne un bon coup de roue; nous l'évitons de justesse.

– Mais il est fou, ce gars-là, puis il s'exclame : « Je conduis du mauvais côté, je dois être à gauche. »

– Papa, fais attention; on veut pas se faire tuer. On veut pas arriver morts en Aus-ta-lie.

– T'en fais pas, ma chouette, j'vais faire très attention.

– Papa, tu connais ta gauche, n'oublie pas : droite, gauche.

Muriel le taquine. Lorsqu'il lui demande si une chose est à droite, elle pointe du doigt. Il insiste pour qu'elle dise « droite » ou « gauche »; alors, elle se venge.

Le paysage est extraordinaire ! Des maisons recouvertes de toits de chaume, des hommes qui travaillent au champ avec des buffles ou dans des champs de cannes à sucre. Beaucoup sont pieds nus, plusieurs portent la jupe; les enfants commencent à s'y faire, mais Ed qui se demande s'ils portent des bobettes sous leur jupe reste perplexe.

– Va leur demander ou va regarder, rétorque Muriel.

– Fais pas ça, Ed. Lynda a peur pour lui.

– J'tiens à ma vie. As-tu vu les machettes ?

– J'pensais que t'étais un gars brave. (Mumu)

– J'suis brave, mais pas fou !

Nous traversons des villages, passons devant des écoles primaires et secondaires. Très propres et tous pieds nus, les élèves portent des uniformes tantôt bleu et blanc tantôt vert et blanc; c'est frappant. Lautoka est la deuxième plus grosse ville de Fiji, un vrai paradis pour ceux qui veulent acheter des montres ou des bijoux exclusifs, mais il faut marchander. Les gens sont industrieux, pas une minute ne se perd. Dans chaque boutique, des gens cousent, d'autres brodent, d'autres encore préparent des bijoux. J'achète une robe longue, brodée, genre caftan, très belle, quatorze dollars. Une aubaine ! Nous visitons quelques magasins; chacun de nous ressort avec une montre Seiko. Chacune de ces montres a fonctionné plus de dix ans.

Nous trouvons un restaurant assez bien et plutôt propre. À chacun de nous, on sert un demi-poulet ! Excellent le poulet ! Mais nos doigts bien collants et pas de serviettes... Eddie remarque un évier à l'arrière où les gens vont se laver les mains. Nous faisons de même. Rien pour s'essuyer. Nous avons les mains mouillées, mais propres. À Rome, on fait comme les Romains.

À l'hôtel, la piscine attire toujours les enfants. Ils nagent et discutent. Muriel parle à Ed de son signe astrologique.

– Moi, je suis Balance, Libra et toi, tu es Capricorne.

Lynda, qui pense qu'ils se comparent à une marque de voitures, lance : « Moi, je suis Toyota ! »

Ed et Muriel rient à pleurer. Ils la taquinent encore. Quand ils parlent de signes astrologiques, ils ne la manquent pas : « Toi, Lynda, t'es Toyota ! »

L'escale à Fiji, oui, nous l'avons appréciée.

Le 28 juillet à huit heures quarante, à bord d'un avion de la Fiji Airline, capacité : 80 passagers, une agréable alternative au 747, service plus personnalisé, nous volons vers Nouméa en Nouvelle-Calédonie.

– Ça sonne la ferraille, vous trouvez pas ?

– Peut-être, Edna, mais ces avions sont très sécuritaires.

J'suis à peine rassurée, mais je ne peux débarquer, alors... Muriel ne cesse de répéter le nom de l'aéroport, La Tontouta.

– On dirait une maladie, maman.

– Non, plutôt un jeu. (Ed)

– Oui, oui, un jeu. (Lynda)

– Elle dit toujours comme lui. (Muriel vexée)

– C'est parce qu'elle est intelligente comme son grand frère.

– Oui, les *nerds* se complètent !

– C'est quoi un *nerd* ?

– Laisse faire, Lynda. Mumu sait pas ce que le mot veut dire. Elle veut dire qu'on est brillant. Lynda jubile.

Atterrissons à La Tontouta. Sommes attendus. Ça fait tout drôle. Un ami d'Eddie, un Québécois, Charles-Émile Rouleau. Il nous amène à notre hôtel à Nouméa, la capitale, à 50 kilomètres; puis, nous visitons la ville. On fait du lèche-vitrines. On se promène un peu. À 20 heures, notre ami vient nous chercher; on va souper à une crêperie bretonne. Encore une fois, Lynda s'endort la tête dans son assiette.

À l'entrée du restaurant nous attendait un magnifique chat noir au poil fourni et luisant. La nourriture va être bonne, pensai-je, car j'ai ouï dire qu'on peut juger de la qualité de la nourriture par l'apparence de l'animal qui y demeure.

– Pas étonnant que les crêpes soient si bonnes, Edna !

C'est la première fois que je mangeais dans une crêperie. Je n'avais jamais pensé qu'il y avait autant de sortes de crêpes. On est loin des crêpes acadiennes. Celles-ci sont bonnes, mais les nôtres ne donnent pas leurs places. D'ailleurs, s'il fallait que, pour nourrir notre famille, ma mère ait fait de ces feuilles de pâtes, elle aurait passé la journée devant le poêle. Il me semble voir mon père soulever une de ces feuilles. Elle aurait été instantanément transformée en *Frisbee* et nous, en statues !

Le lendemain, on se promène sur la plage, souvenir d'Acadie.

– Allons regarder les Canaques pêcher.

Ils ramassent tout ce qui s'accroche au bout d'une ligne, même les tout petits poissons, ceux que nous ne penserions pas manger, sur lesquels notre chat aussi lèverait le nez. C'est vrai qu'ils n'ont pas le choix, ici tout est extrêmement cher. Nous passons plusieurs heures à l'aquarium : des poissons de toutes formes, aux couleurs changeantes et chatoyantes, et surtout des coraux intrigants et fascinants qu'on ne se lasse pas d'admirer.

– Pas facile de croire que ces squelettes de calcaire sont vivants.

– Mais ça ressemble pas à des poissons.

– Non, Lynda, ce sont des invertébrés, un peu comme des anémones de mer; ils vivent en colonies de polypes.

– Woa, Einstein McGrath ! Là, tu nous perds. Des invertébrés ?

– Ça veut dire qu'ils n'ont pas de colonne vertébrale.

– Alors, ils ont jamais mal au dos.

– Maman, t'aurais dû être invertébrée... plus mal au dos.

– Parce que tu voudrais que maman soit une affaire de même ? puis nous, on s'rait quoi ? Lynda est insultée.

– On s'rait des coraux : Eddy Coraux, Muriel Coraux, puis Lynda Coraux; c'est mieux que McGrath.

– J'te réponds pas. Leurs corps sont composés d'un système digestif, d'une bouche et de tentacules.

– Maman, ils ressemblent à de fragiles bonsaïs en dentelle.

– T'as raison, Muriel, mais ils deviennent solides lorsqu'ils sont asséchés. On s'en sert en bijouterie; les orthopédistes commencent aussi à s'en servir en chirurgie des os. Les enfants les regardent avec des yeux nouveaux. Une folie de couleurs et de formes qui remuent et ondulent gracieusement.

– Il se fait une surconsommation de ces coraux. On les cueille plus vite qu'ils ne se reproduisent. Allons ! Demain, nous partons à l'aventure vers LaFoa et Bourail.

Ces villes sont situées à environ 150 kilomètres de Nouméa. Nous visitons une école et parcourons la région. Un filet de route serpente à travers des cols très étroits et dangereux. Un immense panneau indique aux voyageurs l'heure à laquelle ils peuvent circuler dans telle direction. D'un côté, la montagne, une muraille de roches; de l'autre côté, un précipice, le vide. J'en ai le souffle coupé. Le fond est à cent mètres ! Je suis terrifiée d'autant plus que l'an passé, un ami, je crois, m'avait parlé de ces fameux cols.

– Ah ! tu vas aller à Bourail ? Tu vas traverser les cols.

Eddie lui avait fait signe de se taire et moi, en vrai maso, j'avais insisté pour tout savoir sur ces cols. Résultat : je n'ai pas fermé l'œil la nuit dernière !

Tout en parlant sans arrêt avec Eddie, notre ami conduit comme s'il avait le diable à ses trousses; il est totalement inconscient de ma terreur jusqu'à ce qu'Eddie, se tournant vers moi, me voie blanche comme une morte, prête à m'évanouir. Eddie demande qu'il ralentisse. Notre ami s'excuse, ralentit, me rassure.

– T'en fais pas, il y a aucun danger. Je fais ce voyage chaque semaine. J'ai jamais eu d'accident !

La belle affaire ! Pourquoi ne suis-je pas rassurée ? Je me dis : « Il doit y avoir un bon Dieu juste pour lui et j'espère qu'Il fait des heures supplémentaires aujourd'hui. » Les enfants sont plus braves : Ed chante et fait le dingue pour me changer les idées, Muriel et Lynda sont de la partie. Quels enfants ! Comme j'apprécie leur sollicitude !

Arrivons à Bourail sains et saufs, mais certainement pas grâce à la prudence du conducteur. Il a raté sa vocation. Je le verrais plutôt sur une piste de course, comme les Villeneuve.

Je suis frappée de la beauté de cet endroit. Je regarde ébahie.

Comme j'aimerais être poétesse, trouver les mots justes pour exprimer ce que ressent mon cœur. L'école artisanale, située dans une vallée luxuriante entourée d'hibiscus et de frangipaniers, jouit de l'air pur et parfumé, du calme envoûtant. Ça doit être ça, le paradis ! Ça me rappelle Shangrila dans *Lost Horizon*. L'avion que pilotait le personnage principal s'est écrasé dans les montagnes près du Tibet. Celui-ci a marché pendant des heures dans la tempête. Quand il avait crû mourir gelé, il a aperçu Shangrila, un véritable paradis où les gens ne vieillissent jamais et vivent dans une félicité incomparable ! Si jamais j'apprends que cet endroit existe, je traverserai bien tous les cols de la planète pour m'y rendre. Eh bien ! Ici, à Bourail dont j'admire les merveilles, c'est un peu Shangrila. Si seulement l'air ambiant pouvait retarder mon vieillissement ou m'effacer des rides ! Ah, le temps, ce pire ennemi des femmes !

Revenons à Bourail, ce paradis lointain qui m'imprègne de paix et de sérénité. Je marche lentement, hume le parfum des fleurs. Une fois de plus, un détour, une autre digression. Il me faut arrêter le temps, jouir du calme de cet endroit. Oui, il est de ces endroits, de ces instants qui nous touchent, qui restent en nous à jamais gravés. J'ai vécu de ces moments intenses chez moi quand j'étais adolescente.

À environ vingt-cinq mètres d'un ruisseau, notre maison. Les soirs d'été, je me couche la tête au pied du lit. Me parvient le ruissellement de l'eau contre les roches derrière lesquelles les petites truites se camouflent pour échapper à mon hameçon. Je me revois étendue sur mon lit, la tête appuyée sur le rebord de la fenêtre. À pleins poumons, je respire l'air pur et la senteur du bon foin. Il fait noir, d'une noirceur de campagne, impénétrable, silencieuse. Dans l'obscurité, d'innombrables lucioles allument leurs subites et imprévisibles lanternes; partout, dans le silence, naissent des milliers de minuscules taches lumineuses qui l'instant d'après s'éteignent. Puis commence le concert ! Les criquets battent d'abord la mesure, suivis de près par les grenouilles. De loin arrive le chant de l'engoulevent, notre commun bois-pourri. Aux intermèdes, l'eau du ruisseau cascade de roche en roche. Mes yeux et mes oreilles d'enfant sont captivés. Ce bruit clair et cristallin de l'eau mêlé au croassement des grenouilles, à la mélodie de l'engoulevent, ces feux des lucioles qui traversent l'ombre, toute cette symphonie et ce jeu de lumières m'extasient. Bonheur absolu. Mon cœur bat tout doucement pour allonger l'émerveillement.

Cette vallée paisible me faisait revivre les mêmes émotions; mon cœur battait en harmonie avec le paysage. C'est un enchantement pour lequel on sacrifierait volontiers une partie d'éternité. Je communique mon enthousiasme aux enfants. Ils se moquent un peu de moi, mais sont émus. Muriel, Lynda et moi faisons des colliers avec des fleurs de frangipanier, les mêmes qu'on offre aux gens à leur arrivée à Hawaï. Il s'en dégage un parfum divin. Nous rencontrons une fille du Nouveau-Brunswick qui, durant son adolescence, correspondait avec un étudiant de la Nouvelle-Calédonie. Ils ont échangé pendant plusieurs années. Une fois adulte, il a terminé ses études à Paris avant de la rejoindre au Nouveau-Brunswick. Ils se sont aimés, mariés. Ils enseignent, ont trois enfants et le bonheur. Un vrai roman Harlequin, mais en mieux, car c'est la réalité.

Le collège artisanal des Frères du Sacré-Cœur comprend des classes, des ateliers, un dortoir, un réfectoire, des dépendances. Ici, professeurs et étudiants descendent parfois dans les ravins pour récupérer les autos qui ont dérapé. Ils les remontent, les réparent, les vendent. Excellente expérience pratique pour les étudiants, une bonne affaire pour l'école. Et monsieur Rouleau prétendait qu'il n'y avait pas de danger ! Nos filles courent partout, cueillent des pamplemousses pendant qu'Ed s'amuse avec une chauve-souris apprivoisée.

Puis vient l'heure du départ. À regret, je me dirige vers l'auto; le cœur ne veut pas suivre. Le retour se fait en silence. Chacun de nous retient jalousement ces moments paisibles et harmonieux que nous venons de vivre. Nous longeons la mer qui paraît en furie : de gigantesques vagues écumantes s'écrasent sur les récifs de coraux qu'elles semblent vouloir démolir.

Chemin faisant, notre guide nous invite à visiter une tribu d'indigènes. Le chef nous fait l'insigne honneur de nous recevoir; il a fière allure, la stature d'un sénateur romain. Les enfants le regardent, mais osent à peine respirer – j'aimerais l'emprunter à l'occasion, me dis-je intérieurement ! Les huttes sont remarquablement décorées et solides. Isolée, celle du chef prend place au bout d'une longue allée bordée de pins majestueux. Nous faisons connaissance avec la tribu. Les enfants manifestent tout à la fois respect et crainte. Après un bref échange avec le chef, nous poursuivons notre route. Un peu plus loin, chez Rémy Weiss, sculpteur de renommée internationale, nous achetons deux magnifiques masques représentant un homme et une femme aborigènes; notre portefeuille en prend un coup. Nous tente énormément une flèche faîtière qui est réplique exacte de celle que nous avions vue au sommet de la hutte du chef. C'est la valse-hésitation... Nous décidons de ne pas l'acheter et partons. Après avoir parcouru à peine un kilomètre, nous faisons demi-tour et revenons chercher cette fameuse flèche. Fatigués mais heureux, nous arrivons enfin à l'hôtel. Aujourd'hui encore, malgré les cols et l'étroitesse des routes, j'y retournerais volontiers.

– Maman, c'est le dernier vol avant l'Australie. On est loin !

La toute dernière étape. Nous nous dirigeons vers Sydney à bord d'un avion de la United Airlines. J'ai peu parlé de ce que je ressens depuis que nous avons quitté Hawaï. Chaque nouveau départ m'éloigne un peu plus de mes parents, de ma belle-famille, de mes amis, de ma maison, de mon pays. Je n'ai qu'à fermer les yeux pour revoir ma mère qui m'envoie la main. Constamment, son visage et les autres s'imposent à moi. Si j'étais magicienne... Le regard perdu dans l'espace, je murmure : « Mon Dieu, faites que nous revenions sains et saufs ! »

J'ai hâte aussi d'arriver en Australie. Quel paradoxe ! Brève escale à Sydney.

Richard, Ed, Sylvie, Kevin, Kim, Lynda,
Muriel, Alexandre, Edna, Eddie

Clara, belle-maman, Grace

Raoul (Ralph), Blanche

Edna, Alvida, Irène, Edgar, Annette,
Alvina, Raymonde, Papa

Papa et maman

Rémi, Jeanie et nous

Le séjour

Melbourne, Australie, ville de plus de deux millions et demi d'habitants. Il vente, il pleut; la première pluie depuis notre départ du Canada. Sommes heureux d'être arrivés. Plusieurs amis d'Eddie, qui nous attendaient, se précipitent vers lui, lui donnent l'accolade.

– Hey, mate, good to see you !

L'accent et la prononciation me coupent le souffle. Ça sonne comme ceci : « Hy, myte, good to see yà ! » Ils nous inspectent de la tête aux pieds, sans fausse gêne. Eddie fait les présentations. Pat, Jim et Paul Shortis que nous avions reçus l'an dernier sont des figures connues, les frères Dumont et Marquis aussi. Puis, des anciens élèves d'Eddie : Joe et Jane Boryshiewicz, Charles et Denny Camilleri et d'autres s'approchent. J'ai l'impression de les connaître tous, tellement Eddie m'en a parlé. Ils nous embrassent chaleureusement et nous souhaitent la bienvenue. Eddie me glisse à l'oreille : « Tu vois comme ils sont fins; ils sont toujours comme ça. »

Eddie est très content de revoir ses amis, le pays.

L'Australie est très différente du Canada tant par son climat que par sa faune et sa flore. Située entre l'océan Indien et l'océan Pacifique, c'est le plus petit continent et la plus grosse île au monde. Sa superficie de 7 millions 682 kilomètres carrés représente 80 % de celle du Canada. Les meilleures terres arables de ce pays plutôt plat et sec se trouvent dans le sud-est. Une partie importante, dont les plaines du centre et du nord du pays, est très chaude et désertique. À l'est, plusieurs montagnes, dont les Snowy Mountains et le Kosciusko. En montagne, on peut skier le matin, se baigner l'après-midi. Formidable !

L'Australie compte six États ou provinces et un territoire. La majeure partie de la population demeure près des sept capitales.

Les premiers habitants, les Aborigènes, étaient là 50 000 ans avant le Blanc. En 1770, ils étaient 300 000. Quand les Blancs se sont approprié leurs terres, certains Aborigènes ont essayé de les arrêter, mais sans y parvenir. Les représailles ont alors été féroces : pour chaque homme blanc tué, on liquidait 200 Aborigènes. En 1930, il ne restait que 70 000 personnes de ce peuple paisible, dont chaque famille a pourtant plusieurs enfants. Maintenant, la population aborigène atteint 160 000. Depuis quelques années, le gouvernement fait des efforts pour les aider : il leur donne de l'argent, comme il est fait au Canada avec les Amérindiens. Une minorité d'entre eux travaillent et s'intègrent au mode de vie des Blancs. Beaucoup ont des problèmes d'alcoolisme. Plusieurs délaissent peu à peu leurs coutumes et leurs croyances, surtout depuis que le gouvernement leur distribue ses largesses.

L'Australie jouit d'un climat semi-tropical. Ses plages comptent parmi les plus belles au monde : un véritable paradis pour les mordus du surf qui pourront se laisser porter sur des vagues longues et hautes. Sur la côte Est, le Great Barrier Reef, un jardin de coraux d'une beauté incontestable, s'étend sur une distance de 2 000 kilomètres.

Jusqu'à la récente récession, l'économie australienne était florissante. On s'adonne à l'agriculture et à l'élevage du mouton. Près de 25 millions de têtes de bétail. Les fermes de moutons, *stations*, qui peuvent couvrir 10 000, 15 000 ou même 30 000 kilomètres carrés, sont presque aussi grandes que la Belgique. Il n'est pas rare que les propriétaires se servent d'un petit avion pour les parcourir et d'hélicoptères pour rassembler le bétail. Plusieurs d'entre eux sont financièrement à l'aise. Leur maison, leurs dépendances et leur fameux réservoir d'eau, avec moulin à vent, à une dizaine de mètres du sol ressemblent à des taches perdues dans l'immensité du pays.

La laine est une ressource naturelle très importante. Les moutons s'adaptent bien et mangent tout, même les chardons. Premier pays producteur de laine et deuxième exportateur de sucre, l'Australie compte aussi, parmi ses principales ressources naturelles, le charbon, l'or, l'argent, le plomb, le cuivre et le zinc. Pays hautement industrialisé, l'Australie exporte aussi de la viande et du blé sur une grande échelle. Elle se suffit en gaz naturel qui est pompé du détroit de Bass dans le sud-est. Nous habitons Melbourne, dans l'État de Victoria, un État aux terres fertiles, aux forêts tropicales, aux montagnes enneigées et aux vignes très productives.

L'Australie s'enorgueillit de plantes uniques telles que l'acacias, l'eucalyptus, le baobab; d'animaux exceptionnels dont le kangourou, le koala, l'émeu, l'opossum volant, le wallaby, l'ornithorynque, l'échidné, ce mangeur de fourmis couvert d'épines, et le diable de la Tasmanie. S'y trouvent aussi, à l'état sauvage, des chameaux et les fameux lapins devenus avec le temps une véritable plaie pour le pays – j'y reviendrai. Des perroquets de toutes sortes et de toutes grosseurs y abondent de même qu'une multitude d'oiseaux comme l'oiseau-lyre, le paon, le kookaburra, le silly galah, le casoar, pour n'en nommer que quelques-uns. Les cactus poussent à volonté et il n'est pas rare de voir des parterres savamment paysagés de différents cactus. L'Australie, indéniablement, un très beau pays.

Pat et Jim nous avaient préparé une petite réception. Nous étions très contents de les revoir. Nous nous sentions moins dépaysés. Ils emménageaient dans une nouvelle maison et nous prêtaient la leur pendant une semaine. Comme il ne restait plus de meubles, quelques amis nous en ont prêté. Le lendemain, toute la journée, Ed les aida à emménager. L'adaptation des premiers jours fut plutôt brutale et pleine de surprises. Eddie m'avait bien avertie que les maisons n'étaient pas chauffées et que nous aurions froid mais, voyons, on est habitués au froid ! Avoir froid dans un pays chaud comme l'Australie ? Impensable !

Je l'ai déjà mentionné, il pleuvait à notre arrivée. Il ventait, on était en août et c'était la fin de l'hiver. Environ 15 °C à l'extérieur, ce n'est pas froid, mais à l'intérieur, c'est plus que frisquet. Les chambres, surtout, sont froides : aucun chauffage et l'air pénètre de partout. Tous les Australiens placent directement sur le matelas des couvertures électriques minces. Une quasi-nécessité. Pat avait apporté les leurs. Elle nous avait laissé des couvertures, mais nous avons gelé toute la nuit, chandails par dessus chandails, bas de laine, on grelottait.

– Eddie, c'est pire que dans mon enfance et Dieu sait si j'ai souvent eu froid.

– T'as eu si froid ? Pourtant, vous aviez une belle grosse maison.

– Grosse mais pas hivernisée ou presque pas.

Pendant les blizzards des nuits froides d'hiver, le vent du nord s'infiltrait dans les moindres fissures. La nuit, je me couchais en chien de fusil. Figée, le moindre mouvement et le froid extérieur me glaçaient tous les membres. Ce que le froid me faisait souffrir ! Je rêvais de chaleur, de pouvoir dormir allongée, détendue, les bras sur la couverture. Un jour... je n'aurais plus jamais froid.

– T'as fini de grelotter en Australie. J'vais y voir.

Les Australiens du sud sont habitués et ne s'en font pas; l'été ou l'hiver, ils vaquent à leurs occupations, laissent portes et fenêtres ouvertes; le froid entre partout. Ils ne se dérangent même pas pour les fermer. Je me suis souvent demandé s'ils n'avaient pas le sang froid ! En hiver, j'ai vu mes élèves arriver à l'école avec un uniforme d'été, même s'ils ont un pantalon, une blouse et un cardigan. Les filles portent une robe de coton, une veste ou un coupe-vent très mince et des bas courts. Les Australiens semblent insensibles au froid, s'en plaignent rarement ou s'ils le font, c'est plutôt pour la forme. Ils popotent à l'extérieur en sandales de plage et lavent leurs autos pieds nus. Ils sont robustes, beaucoup plus que nous qui venons d'un pays froid et qui réglons le thermostat dès les premières gelées.

Le séjour

◆

Les maisons australiennes ne sont pas isolées et n'ont pas de sous-sol. De larges espaces d'aération le long des murs, sous les corniches, laissent pénétrer l'air. Question d'air pur ! Une lubie ! Il fait plus froid à l'intérieur qu'à l'extérieur. Aller à la toilette requiert une bonne dose de courage : on n'apporte aucun livre ou journal. Plus vite soulagés, plus vite sortis de cette glacière ! La loi exige que la toilette soit munie d'une fenêtre persienne; alors, par pluie battante et vent qui s'engouffre en ces larges ouvertures, on ne s'y hasarde qu'à la dernière minute. Ce n'est pas un endroit pour se cacher quand on ne veut pas laver la vaisselle comme font souvent les jeunes dans bien des familles. Je devrais dire comme ils faisaient car maintenant, la plupart des gens ont des lave-vaisselle. Dès le repas terminé, l'envie leur prenait ! Ici, le problème ne se pose même pas. Dans beaucoup de maisons, les moins modernes, les toilettes ne sont accessibles que de l'extérieur. Pauvre Lynda qui n'avait que cinq ans ! Elle ne comprenait pas ce système. Elle se retenait jusqu'à la dernière minute.

La salle de bains et les toilettes ! Ce n'est pas une idée fixe, mais j'y reviens. Il y a la toilette et un lavabo. Formidable : la toilette n'est jamais dans la même pièce que la baignoire. À côté, dans une autre pièce, la baignoire, la douche et un autre lavabo. On peut prendre son bain ou sa douche, se maquiller sans être incommodé par les odeurs, sans se presser, sauf... l'hiver.

Le lendemain de notre arrivée, nous allons visiter Bill et Mabel Hyett. Bill n'était pas en forme. « I have a wog and me legs are crook », dit-il. Je n'ai rien compris, mais ça voulait dire qu'il avait un virus et mal aux jambes. Eddie riait. Bill et Mabel étaient chaleureux. Je m'y sentais un peu chez nous, un peu chez mes parents en cette terre étrangère. Nous leur rendions visite presque chaque semaine. Ils nous recevaient toujours à bras ouverts. Mabel, une vraie maman. Elle me montra quel genre de couvertures électriques choisir et où me les procurer. Elle nous en passa deux pour le soir même. Le couple avait un beau gros cacatoès; j'allais toujours lui parler. Il était peu loquace et ne disait que : « Poly veut un *cracker* ! Poly veut un *cracker* ! »

Bill avait la maladie de Parkinson, ce qu'il ignorait alors. Cette maladie a progressé si rapidement qu'il est décédé peu après notre retour au Canada : nous en avons été très peinés. Leur fille Lorraine, Ed et Muriel écoutaient les groupes de chanteurs, commentaient et riaient; ils avaient les mêmes goûts. Elle reste en communication avec nous.

Des portes vitrées donnent sur la cuisine et le corridor. En hiver, la famille se réunit au salon près du foyer au gaz naturel qui forme le cœur de la maison. Nous y vivions aussi : déjeuner, dîner et souvent souper. On s'y habillait même le matin. Dans la salle de bains, au mur, près du plafond, une petite plinthe chauffante dont les gens n'abusent pas, car c'est un luxe. On ne s'éternise pas là non plus.

Nous n'étions pas habitués à sortir du lit dans des chambres non chauffées. Surtout pour moi qui suis toujours gelée, le lever était plutôt difficile : un vrai supplice, la Sibérie quoi ! Ma mère disait que dans mes veines coulait du jus de tomate. Elle n'a jamais réalisé que le froid de mon enfance ne m'avait jamais quittée.

Le lundi matin, nous étions au magasin dès l'ouverture. Aussitôt à la maison, on installa les couvertures électriques. Le soir, ô bonheur infini, on s'est glissés dans des lits chauds. Presque de la concupiscence ! Les matins étaient frisquets mais avec un chandail, à midi, c'était le plein confort.

Dans la plupart des écoles, le même problème de chauffage : le matin, on gèle. Mes confrères et consœurs allaient, venaient, laissaient les portes ouvertes; je courais les fermer.

– You cold ? Sorry, mate.

Ils oubliaient toujours. Une cause perdue. Je portais des collants, des jupes de laine jusqu'aux pieds, j'enfilais deux ou trois chandails. Les manches du chandail de dessus me traînaient jusqu'aux jointures; j'essayais de me dire qu'il ne faisait pas froid. Je m'autosuggestionnais sans jamais parvenir à me convaincre. Je grelottais ! Un pays chaud ?

Très long et froid, ce premier hiver dans cet État de Victoria. Et encore, ce n'est pas le pôle Sud ! À 15 °C, c'est même très confortable, mais pas à l'intérieur. Le matin et le soir, j'appréhendais l'idée d'aller dans la cuisine préparer les repas. J'emportais tout sur la table du salon et rêvais des maisons québécoises. Que nous sommes gâtés ! Quand les gens se plaignent des froids d'hiver, je leur demande : « Quand avez-vous froid ? de la maison à l'auto ? de l'auto au bureau ou au magasin ? dans la maison ? » Ici, au Québec, il suffit d'adapter le curseur du thermostat et le tour est joué.

Sise tout près de l'école des filles, notre maison était un bungalow en brique comme celle d'ici, sauf que là-bas, on l'appelle cottage. Le mot bungalow désigne une petite maison, une annexe à l'arrière de la maison où logent les grands-parents.

Tout un choc au début : le dollar canadien ne valait alors que 63 cents australiens. Heureusement que nous nous sommes repris au retour. Nous courons les aubaines pour acheter des meubles et une voiture. Championne des annonces classées, je sais, au premier coup d'œil, différencier l'aubaine de la camelote. « T'es dans ton élément. » aurait dit ma mère. Les quartiers « riches » furent visités et, en moins de deux, notre maison, meublée. Même Muriel était impressionnée.

– C'est pas des meubles neufs, maman, mais ils sont beaux.

– Pour nous, ils sont neufs; on vient de les acheter.

Elle les passait à l'inspection. Seul le mobilier de la salle à manger me plaisait moins, mais Eddie avait insisté pour l'acheter.

– Il est en beau bois. J'vais le décaper et le vernir : tu le reconnaîtras plus.

Un travail de bénédictin ! Mais quel résultat ! La table, les six chaises et le vaisselier faisaient l'envie des amis, sans compter un vieux gramophone qu'il avait découvert dans le garage et qui avait subi le même sort. Quand nous recevions des amis, il fallait absolument faire jouer des vieux disques. Ça me rappelait mon enfance, notre gramophone et les disques du soldat Lebrun, surtout durant la guerre.

On se promenait parmi les autos usagées. Pas une tache de rouille, elles semblaient neuves. Je n'arrivais pas à y croire. Nous avons opté pour une familiale, beaucoup plus pratique pour voyager. Les voitures, surtout les anglaises, sont petites ou moyennes. On peut acheter aussi des petits camions munis d'une boîte, genre corbillards, baptisés *sin-bin* ou poubelle à péchés. Les jeunes les aiment bien, même parfois les moins jeunes !

La plupart des maisons australiennes sont ordinaires et relativement bien entretenues, mais sans ostentation. On ne change pas le mobilier à moins de grande usure, certainement pas parce qu'il pourrait être démodé. Ce n'est pas leur priorité. Leur priorité ? Vivre à l'aise, ne pas s'endetter, économiser suffisamment pour amener la famille à la mer chaque été durant les vacances. Vers le 21 décembre, ils envahissent les villages côtiers dont certains passent alors de 1 000 à 20 000 habitants. De vraies fourmilières. Ils louent un terrain, le même d'année en année, y montent leurs tentes. Tassés comme des sardines, ils sont au paradis. L'important c'est la mer, le sable, les amis. La vie au ralenti.

Ils n'abusent pas de la peinture, se limitent aux couleurs blanches, beiges et brunes. S'ils voyaient certaines maisons multicolores acadiennes, ils auraient une syncope. Être propriétaire de leur maison, pour eux, une autre priorité ! Leur vie est centrée sur cet objectif. À Melbourne, plus de 80 % des gens sont propriétaires. Les appartements à louer sont rares et les logements multiples quasi inexistants. Les logements se louent à la semaine moyennant une caution de 100 à 300 dollars de garantie contre le bris. Une excellente initiative !

Ils étaient stupéfaits d'apprendre que beaucoup de Québécois vivent locataires. Tout simplement inconcevable !

– Que font-ils de leur argent ?

Ils ne comprennent absolument pas, ne peuvent imaginer que des couples restent locataires toute leur vie. Dans notre région, les immigrants, la plupart d'origine grecque, maltaise ou slave, se construisaient de belles maisons immenses, dignes de riches professionnels. La majorité d'entre eux, de simples ouvriers, y voient le signe de leur réussite. Ils triment fort et sont fiers d'envoyer des photos de leurs « châteaux » à tous ceux des leurs qui sont restés dans leur pays d'origine.

Dès que les jeunes Australiens et Australiennes commencent à travailler et plus encore s'ils se courtisent sérieusement, ils économisent pour l'achat d'un terrain dont le prix élevé comprend toutefois le coût des infrastructures. Sitôt fixée la date du mariage, ils érigent leur maison avec l'aide de parents et d'amis. Un type d'entraide qui va de soi.

– C'était comme ça autrefois en Acadie. Quand mon père a bâti la grange, les voisins sont arrivés le matin; au soir, la charpente était montée.

– Joe, Charlie et quelques amis se sont offerts. Si nous voulons rester ici, ils m'aideront à construire une maison.

Je préférais le Québec. Ici, ils construisent de grandes maisons, de quinze à vingt squares et plus; un square équivaut à dix mètres carrés. Plusieurs maisons ont une cubby house, petite maison pour enfants, attachée à la maison. Elles mesurent environ deux mètres sur trois. Le long du mur, on installe un banc; on y ajoute une table et un tableau; les enfants agencent des décorations. Merveilleux ! C'est un royaume dont ils profitent bien, où ils organisent des jeux en toute tranquillité; ils n'ont pas besoin de leurs parents pour les amuser. C'est formidable, tant pour les uns que pour les autres.

Notre maison avait une cubby house, ce qui ravissait Muriel et Lynda. Elles y ont joué avec leurs amies. Parfois, nous étions invités à y prendre le thé, un bon thé anglais. On faisait semblant de le trouver délicieux... En réalité, il ressemblait à de la rinçure de chaussettes; des fois, il goûtait mauvais. Les filles étaient heureuses, nous aussi. Dans la maison, rien ne traînait, ni jouets ni jeux; les chambres restaient propres. Merveilleuse cubby house !

Revenons aux maisons australiennes. Dans la cour arrière, un tonneau ou un foyer où faire brûler les papiers, l'herbe séchée, tout ce que détruit le feu. Pour les ordures, on n'a droit qu'à deux sacs ou poubelles, les éboueurs ne ramassent pas le surplus. S'ils soupçonnent que les sacs contiennent de l'herbe, ils les ouvrent et les laissent sur place. Eddie le sait, lui qui a fait l'expérience d'un sac, au fond bien tassé d'herbe, qui est resté là.

– Attends, j'vais leur jouer un tour. Je vais la distribuer également en la mettant au milieu. Ils s'en apercevront même pas.

Peine perdue ! Ils en avaient vu d'autres.

– Laisse faire, j'connais une façon australienne infaillible de les convaincre. Tu vas voir. Cette fois-ci, ils vont tout ramasser.

– T'as déjà essayé. T'as vu le résultat ! Ils savent qu'on est des immigrants. Ils veulent nous montrer qu'ici on doit respecter les lois.

– Pauvre Edna. J'sais comment m'y prendre. Attends demain matin. Tu vas voir c'que tu vas voir ! Ils vont tout ramasser !

Le lendemain matin, il sortit les mêmes sacs d'ordures. Je le surveillai de la fenêtre. Il revint dans la maison, alla au frigo, sortit deux bières.

– Où est-ce que tu vas avec ça ? Qu'est-ce que tu vas faire ?

Eddie ne boit presque jamais de bière.

– Il sortit en sifflotant, déposa les deux bouteilles près des sacs et revint dans la cuisine.

– Maintenant, cache-toi derrière le store si ça te tente. Tu vas voir que les gars sont de bonne humeur ce matin. Ils vont tout prendre.

Effectivement, quelques minutes plus tard, le camion arriva. Un des hommes se dirigea vers les sacs, aperçut les bouteilles de bière, les ramassa et, le plus naturellement du monde, alla les mettre à l'avant du camion. Puis il lança les sacs dans le camion. Je n'en revenais pas !

– Mais c'est encourager le vice, ça ! Tu devrais jamais faire ça !

– Laisse faire, ils auront plus de bière de moi. J'voulais voir s'ils sont vraiment convaincus.

L'été venu, durant les vacances des éboueurs, certains footballeurs les remplacent, histoire de garder la forme. Je verrais mal un Gretzky courir derrière un camion à ordures.

– Ils auraient pu mettre un *Black Ban,* sur notre maison.

– Voyons, ils mettent pas ça sur des maisons.

Si vous croyez que les syndicats sont trop militants au Québec, n'allez pas en Australie. Ils le sont davantage et parfois, ils deviennent radicaux. Quand ils veulent boycotter un projet pour une raison quelconque : augmentation des salaires, moins d'heures, etc., ils mettent un *Black Ban syndical* sur la bâtisse en construction et PERSONNE ne peut y travailler aussi longtemps que la restriction n'est pas levée.

Autre chose que j'ai passionnément détestée, les clôtures ! Des clôtures en bois d'environ deux mètres de hauteur entourent toutes les cours arrières. Avec les années, elles penchent un peu; de vraies horreurs pour la vue. Je me sentais complètement emmurée, une vraie prison. J'aurais eu un plaisir fou avec une tronçonneuse. Chose certaine, les gens ont une vie privée. On ne sait même pas si les voisins vivent ou gisent. Des clôtures aussi à l'avant, la plupart en brique, qui ne mesurent que soixante centimètres.

Un petit incident me fit néanmoins apprécier ces clôtures. Vers vingt-deux heures, un soir aux autres pareil, nous marchons devant la maison de notre deuxième voisin dont les deux gros chiens vivaient attachés, même durant les grandes chaleurs ou lorsqu'il partait un jour ou deux. Ce soir-là, au moment où nous passons devant sa maison, les bêtes bondissent à l'extérieur. Le propriétaire ne nous avait pas vus. Les chiens, eux, si ! Ils s'élancent vers nous en aboyant férocement. Eddie leur fait face, crie plus fort qu'eux. Ne me demandez pas ce que moi, je fais ! En moins de temps qu'il ne faut pour le dire, propulsée par la peur, je me retrouve de l'autre côté d'une clôture de presque deux mètres de hauteur. Pendant ce temps, entre Eddie et les chiens, l'impasse persiste. Chacun reste sur ses positions. Eddie n'a pas l'intention de reculer. Un vrai Kasparov ! Ça peut paraître drôle aujourd'hui, mais c'était terrifiant. Le voisin accourt. Eddie l'apostrophe en colère.

– Ramassez vos chiens ! Et vite ! Ma femme a failli mourir de peur à cause de vos chiens !

Le voisin me chercha des yeux, m'aperçut, me regarda estomaqué de me voir dans sa cour, me demanda si j'étais blessée, puis s'excusa non sans qu'Eddie, qui avait eu peur pour moi, lui eut parlé dans le blanc des yeux. Je ne me croyais pas blessée. Les jours suivants, je découvris pourtant à l'intérieur de ma cuisse un hématome de la grosseur d'une pamplemousse.

Le lendemain, je rendis visite aux voisins, un couple âgé que j'aimais beaucoup et qui me le rendait bien. J'avais fait leur connaissance deux jours après notre arrivée alors que je lavais les murs de la cuisine, juchée sur un escabeau de fortune. Petit, maigrichon, sans âge, la bonté écrite sur le visage, l'homme était apparu devant ma porte avec un escabeau qu'il avait à peine la force de porter. « Vous allez vous tuer avec cet escabeau, avait-il dit; prenez le mien. Si vous avez besoin de quoi que ce soit, venez me voir. »

Sa femme était partiellement paralysée par l'arthrite. Avec l'histoire des chiens, ils ont bien ri quand je leur ai dit que je me préparais pour les jeux olympiques. Partout où nous allons, Eddie raconte que j'ai ma cour d'admirateurs : des petits vieux. Surprise, si un jour je décide de choisir des jeunes !

Ainsi allait la vie. Eddie était aux anges. À la tête d'un collège privé, il n'avait aucune difficulté avec les élèves dont la docilité et le respect n'avaient d'égal que la coopération de leurs parents. Quel bonheur pour Ed qui avait été accepté comme apprenti dans une imprimerie d'envergure ! Comme le cours ne débutait qu'en septembre, il put travailler bénévolement, en audiovisuel, au collège où travaillait Eddie. Il aimait le milieu, apprit à connaître les Australiens qui l'ont bien apprécié.

Muriel et Lynda s'adaptèrent assez vite. Imaginez ! Elles arrivaient du pays des grizzlis et des blizzards, avaient visité Disneyland... Populaires, les filles ! On les questionnait sans cesse. Muriel qui avait terminé une cinquième année au Québec dut rester en cinquième. Mais, quatre mois avant la fin de l'année scolaire, la directrice lui fit passer des tests : Muriel passa en sixième. Contente, elle s'appliqua. Quand elle se fixait un but, elle n'en déviait pas. Elle n'a pas changé. Son extérieur pratique cache une fille sensible, soucieuse du bonheur de ceux qu'elle aime. Lynda, à la maternelle, ne comprenait pas un mot d'anglais; elle adorait pourtant Sharon, son professeur. Trois mois plus tard, on la surprenait à parler en anglais à ses poupées; au bout de six mois, elle s'exprimait couramment en anglais australien, il va sans dire.

En Australie existe une initiative sensationnelle, le long congé de trois mois (*long service leave*) que les gouvernements, les maisons d'enseignement et les grandes entreprises offrent à leurs employés qui ont dix ans de service. « J'ai mon long congé payé dans deux ans. » annoncent les gens; ce qui dit bien que cette initiative fait passer le goût de changer d'emploi après huit ans de service et qu'on attend avec impatience de pouvoir en bénéficier ! Dès qu'ils y ont droit, les gens vont parcourir l'Europe, explorent l'Australie ou entreprennent des rénovations majeures.

Nos *cercueils* arrivent enfin. Rien de cassé, mais tout le linge semblait devenu à pli permanent ! Je ne chômais pas. Le fer à repasser ne refroidissait pas. Mon bras droit, un vrai robot en

◆

perpétuel va-et-vient, je crois, même quand je dormais. Puis vint le grand ménage, une vieille habitude de ma mère. « Au printemps, sale pas sale, faut tout laver, disait-elle, murs, plafonds, planchers, meubles, l'intérieur et l'extérieur, même si l'on nettoie régulièrement. » Les Australiens ignorent cette coutume. Ils sont propres. Hiver comme été, ils entretiennent leurs maisons. Comme l'hiver n'est pas froid pour eux, ils ajoutent simplement un chandail. Fameux ! J'ai appris à faire comme eux et je ne m'en porte que mieux, ma maison est aussi propre. J'ai autre chose à faire dans la vie que de toujours stériliser. En Australie, je n'avais pas encore compris.

La maison maintenant immaculée, je m'attaquai au jardin. Je frappai un nœud : de la terre glaise et des bébites. Les bébites et moi, ça ne fait pas bon ménage. Je crains plus ces bestioles que j'ai peur d'un ours ou d'un chien. Je n'en avais jamais vu de près autant d'espèces : des escargots, des gros, yurk ! J'espère que ceux qui raffolent de ces horreurs poilues n'en ont jamais vu se dérouler hors de leurs coquilles : grisâtres, velus, ils allongent le cou, leurs antennes aux aguets. Pas du tout appétissant ! Il faudrait plus que du beurre à l'ail pour m'en faire manger. Forcée par le dégoût, je les ai saupoudrés de poison. « Pauvres petites bêtes, elles devaient souffrir. » auraient dit les *Verts.* Pourquoi suis-je sans remords ?

Je pris les grands moyens : des pantalons longs, de gants épais, deux planches où je mettrais les pieds, un livre illustré sur les insectes ouvert à portée d'yeux. Je n'avais pas envie de me faire piquer par une de ces horreurs, surtout les araignées venimeuses. J'étais intensément plongée dans cette corvée quand Eddie revint du collège. Il m'observa d'un air bizarre.

– Qu'est-ce que tu fais là ? Pourquoi le livre ?

Prévoyant sa réaction, j'étais un peu sur mes gardes. Pas question qu'il se moque de moi. J'avais les oreilles dans le crin !

– Sacrifice ! Ça se voit à l'œil nu, non ! Je vérifie pour pas me faire piquer.

Tête penchée, il me contempla longuement du coin de l'œil; puis, son visage se convulsa en un éclat de rire percutant. À gorge déployée. Il se tordait tellement il riait. Les larmes lui coulaient sur les joues. Il se tenait le ventre, essayait de se retenir, repartait de plus belle. Je ne riais pas, moi ! Plus il riait, moins je trouvais ça drôle. Je commençais à voir le ridicule de ma situation, mais bien trop orgueilleuse et humiliée pour l'avouer, je l'apostrophai les yeux à demi fermés.

– Ton assurance-vie est en règle ? Conseil d'ami : « Disparais, et vite ! J'donne pas cher de ta peau ! »

Eddie n'est pas d'un naturel rieur mais là, c'était peine perdue, plus fort que lui. Malgré ses efforts, impossible d'arrêter; le rire le gagnait. Il rentra s'esclaffer dans la maison. Je l'entendis. Naturellement, il raconta tout aux enfants, aux amis. Sans merci, j'essuyai leurs taquineries. J'en ris maintenant mais alors, j'avais la crête pas mal rouge.

Le ménage terminé et le jardin désinsectisé, je tournais en rond. L'ennui me prit. La première fois que j'avais conduit Muriel et Lynda à l'école, la directrice et moi avions longuement parlé. Elle m'avait offert un poste. Craignant que les filles aient de la difficulté à s'intégrer, j'avais refusé, préférant leur rester disponible, pouvoir leur consacrer du temps. « J'enseignerai l'année prochaine. » me dis-je. Pauvre de moi ! Me voilà mélancolique. Les filles se sont fait très vite des amies. Nous étions à dix minutes de marche de l'école, elles venaient dîner, mais avaient hâte de repartir. Elles découvraient un monde nouveau, des coutumes différentes : tout les fascinait. Moi, je souriais. J'ai eu peur de rester le visage en permanence figé dans un rictus plutôt désavantageux.

Lynda et sa nouvelle amie, Nella, s'amusaient souvent chez nous. Parfois, j'invitais Nella à souper. De sa petite voix aiguë, elle répondait toujours : « I'm allowed. » J'ai la permission. Quand je lui demandais si elle aimait la nourriture, sur le même ton, elle déclarait : « Ma mère dit que je dois tout manger, même si j'aime pas ça. » Eddie et moi faisions des efforts pour ne pas rire.

Devant une crème glacée, elle était aux anges. Concentrée, tête penchée, elle dégustait avec un évident plaisir. Puis, levant les yeux pour s'assurer que nous l'ignorions, elle léchait méthodiquement son bol. Après, elle répétait toujours la même rengaine : « Ma mère en achète jamais. Elle dit que c'est du gaspillage. » Puis avec un soupir éloquent : « But it's sooo good ! »

L'année scolaire débutait en février : trois mois de classe suivis de deux semaines de vacances, puis trois autres mois et encore deux semaines de vacances; enfin, le dernier trimestre et des vacances d'été de six semaines. Excellent arrangement. Parfois, Lynda me demandait pourquoi personne ne parlait le français.

– Ils parlent l'anglais, le maltais, le grec; pourquoi pas le français ? J'aime pas ça. Une chance que je commence à comprendre l'anglais et que j'aime l'école ici !

Pendant que les filles s'intégraient, je déprimais. Moi d'ordinaire active, croquant la vie, disponible, organisatrice, boute-en-train, debout à six heures, sept jours par semaine couchée à minuit, je ne connaissais personne ici. Dire que je n'avais jamais compris les femmes qui passaient des heures au téléphone ! Une perte de temps ! Ce que j'aurais donné pour entendre cette sonnerie ! Mais cette satanée boîte restait muette. Il y a de ces silences qui dérangent ! Pas des maniaques du téléphone, les Aussies. À dix cents l'appel, la facture grimpe vite. D'ailleurs, beaucoup de familles n'ont pas le téléphone; celles qui en ont un ne s'en servent que pour l'essentiel. À côté de l'appareil, une petite boîte où à chaque appel déposer dix cents. Nous semblons vouloir les imiter.

Les amis d'Eddie, Joe et Jane, Charles et Denny, Peter et Mimma, nous rendaient visite à l'occasion. Des gens généreux, serviables. Joe avait récupéré nos *cercueils* au port. Pendant les premiers jours, il nous avait prêté une auto. Nous avons passé de bons moments ensemble, mais... Ils avaient leurs familles, leurs amis, leurs parents, le quotidien. Les dimanches et jours fériés, leurs familles se réunissaient. La nôtre était loin.

Pour nous, c'était un peu comme au Québec; nos parents étaient rarement avec nous durant les fêtes. Mon cœur avait mal quand je voyais les enfants arriver chez leurs parents à Noël, à Pâques, à la fête des enfants... Toujours je me suis demandé si les enfants qui vivent près de leurs parents apprécient leur chance. En Australie, le sentiment était le même, mais les parents bien plus loin. Un grand vide dans mon cœur !

Longues, les journées, très longues. Peut-être pas tant à cause de l'ennui qui me rongeait mais de la crainte viscérale de ne pouvoir revenir chez nous, si loin ! Nos voisins, des Slaves, écoutaient leurs musiques; nous, la nôtre, malgré nous. À la longue, ça m'agaçait. Souvent, assise par terre, j'écoutais mes chanteurs préférés : Rod Stewart, Elton John, Abba et bien d'autres. Parfois, aussi de la chansonnette française, mais c'était mauvais pour mon cœur.

L'été approchait, Noël aussi ! La chaleur s'intensifiait. Pour les gens, l'attente fébrile des vacances. Je passais mes soirées à l'extérieur à regarder le ciel, les étoiles. « Regarde l'étoile du Nord ! Elle est brillante ! Elle scintille. Il y a certainement au Québec des gens qui la regardent aussi. » dis-je un soir à Eddie.

– Voyons, il y a pas d'étoile du Nord ici ! T'es dans l'hémisphère sud. C'est l'étoile du Sud, la Southern Star.

Déçue, je sentis que je venais de perdre quelque chose.

J'avais toujours bu du thé ou du lait, n'avais jamais aimé le café. Tout d'un coup, je buvais du café, chaque jour plusieurs tasses, sucré d'au moins deux grosses cuillerées bien combles. Le résultat ne se fit pas attendre. À Noël, arrondie de quatre kilos, j'éprouvai une envie folle de fumer. Jamais je n'avais été une grosse fumeuse, jamais au travail, seulement après le souper. Je m'étais débarrassée de cette manie six ans plus tôt. Pourtant, maintenant, le goût d'une bonne cigarette m'assaillait; je humais la fumée même quand il n'y avait pas de fumeurs dans les environs. Ça urgeait que je m'occupe de ça. Un ami d'Eddie, John Foster, qui menaçait de me déporter chaque fois que je faisais la moindre observation négative sur l'Australie, m'apporta la machine à coudre de sa mère. En la mettant sur la table, il me dit : « That will keep you out of mischief, you're loosing your marbles, girl. » Traduction libre : « Ça va t'empêcher de faire des niaiseries, tu perds le nord, ma fille. » Taquin, toujours de bonne humeur, ce cher John ! S'il savait comme sa visite nous faisait plaisir ! Les enfants l'adoraient. Il les faisait rire. Quoi de mieux qu'une machine à coudre pour remplacer la cigarette !

Même en cousant, la pensée de mes parents me hantait. Je leur avais envoyé des cartes postales durant le voyage et leur avais écrit plusieurs fois depuis notre départ. À chaque demi-heure, je courais à la boîte aux lettres. Rien, toujours rien. J'étais peinée. On m'avait oubliée ! « Au fond, me disais-je, on ne tient pas beaucoup à moi ou à ma famille. » Un mois passe puis deux; pas le moindre petit mot. Ce silence commençait aussi à m'inquiéter; il entretenait la grisaille de mes pensées. Chez nos voisins de droite bien cachés derrière leur fameuse clôture vivaient les grands-parents, les parents et deux enfants. Un jour que la petite fille de huit ans lançait des papiers par dessus la clôture, j'allai ramasser ces papiers. Je m'apprêtais à m'en départir quand certains morceaux retinrent mon attention : des parties de cartes postales et de lettres écrites en français ! Une lettre de ma mère ! J'appelai Eddie. Il n'en croyait pas ses yeux.

– Il y en a aussi une de ma mère.

Furieuse, déchaînée que j'étais. Cette petite m... volait notre courrier.

– J'vais l'assommer ! J'vais lui tordre le cou !

– Edna, Edna, du calme ! T'énerve pas. C'est qu'une enfant.

– On en a nous, des enfants ! Est-ce qu'ils volent le courrier ? C'est impensable. Sais-tu ce que j'ai souffert ? Je serrai les dents.

– Oui, chérie, mais regarde. Ils nous ont pas oubliés.

Et Muriel d'ajouter : « Je la vois à l'école, je pense que c'est peut-être pas de sa faute. » Lynda aussi eut droit au chapitre.

– Oui, ça s'peut, ça s'peut ! C'est peut-être pas de sa faute.

Je me calmai, me mis à lire à haute voix. On voulait tous des nouvelles. Il manquait des pages. J'allai frapper à la porte de « la » voisine. Vint ouvrir la grand-mère qui ne comprenait ni le français ni l'anglais. Derrière elle, la petite. Je retins ma main. Je surveillai la maison. Quand la mère arriva, je me précipitai. Son anglais était passable, assez pour me comprendre. Estomaquée, inquiète, gênée, elle blêmit.

« No police ! no police ! madam, please ! » Je m'attendris. Elle alla dans la chambre de la petite et revint avec d'autres lettres puis elle m'entraîna dans la chambre. Le tiroir était vidé. « That's all ! » La petite s'excusa, elle promit de ne plus recommencer. Jamais ! Jamais ! La mère me serra la main et je partis. Je m'installai, lus et relus nos lettres. Je les rerelus avant de dormir, le lendemain et les jours suivants. Un baume pour mon cœur. Ces lettres me firent le plus grand bien. Je me remis à chanter. Ma famille et nos amis, les Lessard, les Faille, les Lauzière et les Lévesque, avaient aussi répondu à mes cartes postales et à mes lettres. Je les garde en souvenir.

Je faisais connaissance avec d'autres amis d'Eddie. Peter et Mimma Privetti, un jeune couple charmant, attachant. Mimma qui avait vécu des moments très difficiles se rétablissait graduellement de la maladie de Hodgkin dont elle est tout à fait guérie maintenant. Puis Neville et Mary Cox et leur huit enfants, tous avec des diplômes universitaires. Quelle belle famille ! Ces gens-là, c'était du *nanane plus*, un couple formidable à la porte toujours ouverte.

Avec Neville, Mary et leurs amis, Jim et Joan Houlihan, nous avons passé deux semaines à Surfers Paradise, à plus de deux mille kilomètres au nord de Melbourne.

Surfers Paradise, un paradis pour les mordus du surf. La température, au beau fixe. Un peu la Floride, mais en mieux et en moins gros. Le lieu rêvé pour les gens qui ont du foin, même pour nous qui en avions un peu moins. Tous les jours, la baignade sous la constante surveillance de la plage par un hélicoptère chargé de repérer les requins. Un après-midi que nous étions à l'eau, on entendit un bruit sourd, le son d'une sirène de brume. Les gens s'élancent hors de l'eau. On se regarde; Eddie crie.

– Sortez de l'eau ! Des requins !

Il n'eut pas à le répéter. Les requins, plus convaincants que les chiens. Je ne voulais même y retourner; mais le lendemain, tout le monde était à l'eau. J'y allai aussi après mille recommandations aux enfants. Je les menaçai de sévices que je me savais incapable d'administrer. Antipédagogique, n'est-ce pas ? mais je n'ai jamais prétendu être parfaite. Eddie, lui, ne s'en faisait pas.

– C'est pas dangereux, ils attaquent rarement les humains.

– Ils mangent juste les filles et les mères peureuses !

Ed recommence. Mais pour lui ou son père, rien n'est dangereux. Ce n'était que de petits têtards ! J'aime mieux faire plus attention et ne pas les voir partir avec un de mes bras. Et ils attaquent les humains ! De dix à douze personnes chaque année.

Un après-midi, Eddie et les enfants avaient prévu se promener à Silly Cycles, sorte de tricycle monté de roues de très grands diamètres. Moi qui n'avais pas le goût de me balader à dos de girafes roulantes, je voulus magasiner avec Mary et Joan. C'était compter sans MES enfants.

– Faut que tu viennes, c'est pas pareil quand t'es pas là. Maman, viens, viens. T'auras pas à pédaler. On pédalera pour toi.

– Mais les autres mères y vont pas !

– Elles sont pas cool comme toi. Faut que tu viennes !

◆

Alors, par un bel après-midi, pendant que mes amies maga-sinaient, sans leurs enfants, je me retrouvai juchée sur un Silly Cycle pédalant avec Ed et répétant sans cesse : « Attention ! Attention ! Pas trop vite ! Attention ! » et, chaque fois, Ed de répondre en riant : « Relaxe ! relaxe ! maman ! »

Ça devenait comique. Je me serais battue de m'être laissée convaincre, je les aurais envoyés en Chine ! Ah ! les mères au cœur en jello !

Le séjour à Surfers Paradise fut des plus intéressants. Une excursion au sanctuaire de Currumbin se révéla des plus pas-sionnantes : d'innombrables espèces de perroquets, de caca-toès, différentes sortes d'oiseaux aux plumages multicolores, des oiseaux-lyre, des paons et des kookaburas qui ricanent à longueur de journée.

Chaque midi, au sanctuaire, on nourrit les oiseaux. Dans des assiettes en aluminium qu'on distribue aux visiteurs, on répartit une cinquantaine de kilos de pain arrosé d'eau sucrée. Ces gens les tiennent à bout de bras ou les placent sur leur tête, attendant impatiemment les oiseaux. Vers midi, les volatiles arrivent par milliers. On les entend d'abord sans les voir, puis, de leurs battements d'ailes, ils fendent l'air à grande vitesse, décrivent un grand cercle au-dessus du terrain et piquent sur les assiettes causant un remous dans la foule. Un kaléido-scope de couleurs qui éblouissent les cœurs les plus endurcis. Je jetai un regard circulaire à la foule. Les visages étaient radieux, tel celui d'un enfant devant une barbe-à-papa !

– Maman, regarde sur ma tête.

Muriel ne veut pas bouger. Elle et Lynda en ont partout. Ed en a un sur la tête, un autre sur l'épaule.

– Yeah ! Regardez les oiseaux m'aiment. Un vrai François d'Assise.

Il parle encore quand un oiseau s'envole et laisse choir sur son chandail une fiente momentanément indélébile. On éclate de rire. Il essaie de se nettoyer.

– Si je t'attrape, j'vais te transformer en p'tites boulettes !

Muriel et Lynda la trouvent drôle. Elles ne le manquent pas. Pour une fois qu'elles en ont l'occasion.

– Saint François d'Assise disait jamais ça, lui. Ils sont pas fous, ces oiseaux-là. Ils sont même très intelligents ! On les aime.

Quand il ne reste plus une miette de pain, les oiseaux repartent. Ils sont réglés comme une horloge, reviennent toujours à la même heure. Mon cœur se serre quand je vois des perroquets ou des cacatoès dans nos animaleries. Qu'ils sont loin de leur habitat naturel. Je fais mienne les paroles de la chanteuse Marjo : « On n'emprisonne pas les chats sauvages pas plus qu'on met en cage les oiseaux de la terre. »

Neville et Mary nous conseillent de nous rendre à l'île Philip voir les fairy penguins, ces fameux manchots bleus. Séduits par leur enthousiasme, nous le faisons à la première occasion.

Les manchots bleus sont une espèce protégée. On peut les admirer sur la grève le long du détroit de Bass où des bancs attendent les visiteurs. À notre arrivée, aucun banc libre. Le guide nous permet de nous installer sur la grève avec notre couverture. On verra mieux. Uniques, ces pingouins qui ne mesurent pas plus de trente-trois centimètres et vivent dans des terriers qu'ils creusent dans des dunes de sable ! Oui, ils suscitent l'engouement des gens.

Chaque jour, à l'aube, délaissant la chaleur de leurs terriers, des milliers de ces courageux oiseaux entreprennent une épuisante odyssée vers le large. Ils se dandinent gauchement sur la grève, tombent, roulent, se relèvent, continuent farouchement jusqu'à ce que, épuisés, ils atteignent l'océan. Là, ils s'élancent dans l'eau, savourent un instant d'euphorie, tournent et retournent sur eux-mêmes, tels des petites toupies rayées. Leurs cris résonnent dans le silence de l'aube et l'explosion des vagues. Leurs nageoires leur servent d'ailes; leurs pattes palmées, de gouvernails. Ils plongent bravement dans l'océan, parcourent jusqu'à soixante kilomètres pour s'alimenter et nourrir leur progéniture, reviennent à la brunante. C'est alors que les gardiens allument les projecteurs et que commence le spectacle.

Inouï ! Inexprimable ! La fête du cœur en plein iris ! Au loin, une myriade de petites boules dansent sur la crête des vagues, disparaissent, réapparaissent, s'approchent laborieusement du rivage. *Tobogganant* sur leurs ventres, ils amerrissent enfin sur la grève. Souvent, une vague qui déferle à l'instant même sur eux les rejette à la mer. Ils titubent, culbutent, reculent, happés par d'autres vagues traîtresses. L'estomac ballonné de poissons, semblables à de bedonnants petits hommes en tuxedos, ils recommencent avec énergie, inlassablement; ils avancent cahincaha jusqu'à leurs terriers. Là, ils régurgitent le poisson, en nourrissent leurs petits.

Deux autres fois, nous sommes retournés les admirer. Chaque visite, un ravissement ! Dommage qu'en Australie les lapins ne soient pas des pingouins !

Les lapins australiens, en rien comparables à nos lapins de Pâques, se multiplient à un rythme effarant. Des centaines de millions. Insatiables. Ils dévorent tout ce qui pousse et partout creusent des terriers à faire bouger la terre à perte de vue. Du vrai Spielberg.

Les fermiers en tuent chaque année des centaines de milliers en creusant d'immenses fosses; ils les brûlent ou les enterrent. Ils ont essayé de les détruire avec un vaccin. Peine perdue. Les lapins, maintenant immunisés, sont plus nombreux que jamais. La stérilisation ? Oubliez ça ! Les défenseurs des animaux ! Si les fermiers et les éleveurs de moutons n'arrivent pas à les contrôler, ils devront abandonner leurs terres aux lapins.

De retour de l'île Philip, à mon tour d'enseigner. Ambiance agréable; enseignants détendus. Choix de certains manuels à la discrétion du professeur, dans la mesure où les élèves réussissent, il va de soi. Contexte ouvert aux idées nouvelles, donc avant-gardiste. J'étais contente. Je renaissais. Je pouvais déprimer, avoir des problèmes mais, curieusement, du moment que j'entrais en classe, j'oubliais tout, me sentais bien, vivante, vibrante. Dès ma tendre enfance, j'avais choisi l'enseignement, ne l'ai jamais regretté.

En novembre, Frank et Lorna Leonards nous invitent à célébrer la journée de la Melbourne Cup, une fameuse course de chevaux. Lorna, une dame au vrai sens du mot. Sans négliger ses hôtes, Frank raconte des histoires aux enfants, leur récite des poèmes : « The crooked little man » et « The man from Katmandu ». Naturellement, le barbecue est à l'honneur. La course va commencer : le silence se fait. Depuis 1861, cette course a lieu le premier mardi de novembre, à quatorze heures précises; elle tient toute la population en haleine. Les écoles, les boutiques, les usines, tout s'arrête, sauf les chevaux ! Pour les Australiens, quel événement ! Mon père, dont la priorité allait aux chevaux, aurait été tout à fait d'accord avec eux. La veille de la course, qui était jour réservé aux femmes, se déroulait une parade de mode. En ce qui me concerne, la « parade » des dignitaires me fascina plus que celle des femmes : tous ces hommes en habit bleu marine ou de couleur très foncée, parapluie à la main, faisaient très british. « Ils ont, dis-je, le même accent que les Anglais d'Angleterre. » Malheur m'en prit. Ils n'ont pas l'accent britannique ! Jamais !

Les Aussies sont vraiment gentils et hospitaliers. Ni pointilleux ni méticuleux, ils prennent la vie avec un grain de sel. Très facile de s'entendre avec eux : un peu plus un peu moins, qu'est-ce que ça change ? Ils adorent jaser, le font pendant des heures, calmement, sans argumenter. Respectueux envers les autres, ils aiment rire et taquiner. Les gens les plus accueillants que je connaisse... sauf les Acadiens. Au Québec, c'est différent, mais j'y suis bien. J'aime y vivre; les Québécois que nous connaissons sont tout simplement formidables.

J'ai enseigné trois années en Australie, y ai eu un plaisir fou. Les professeurs se jouent des tours, même des pendables, comme recouvrir le bol de toilette avec un papier pellicule ! J'ai même vu la directrice, Sister Lazarian, courser un professeur avec un balai. Ils s'entraident. Entre eux, jamais de mesquineries. Pas pressés, ils savent vous mettre à l'aise dès la première rencontre. Dès qu'ils vous connaissent un peu, ils vous appellent par votre prénom, vous êtes des leurs.

L'Australie est un bastion masculin qui ferait *flipper* les plus ardentes féministes. Les fils y sont généralement plus choyés que les filles: jus d'orange au lit, petites gâteries, juste pour eux. Ainsi, lors de la première communion des enfants, intriguée de voir les garçons dans les bancs avant et les filles derrière, je pris avis d'une dame.

– Mais voyons ! Les garçons sont les futurs chefs de famille et d'entreprise; c'est normal qu'ils soient devant et que les filles viennent en second : c'est leur place.

Avec de telles affirmations, j'ai fini par appeler ce pays un *God forsaken country*. Ed riait sous cape.

– Eux, ils ont compris la valeur de l'Homme, la place de l'Homme.

– Eux, ils sont re-tar-dés ! Muriel était révoltée. Attends qu'on retourne au Québec. Tu s'ras chanceux d'avoir une place.

– J'vais leur expliquer la philosophie d'un pays évolué, éclairé...

– Ils vont t'envoyer promener...

– J'pense que j'vais rester en Australie. Les gens sont intelligents. T'as bien raison d'aimer ça, papa. C'est un pays futuriste !

– J'aime ça, mais pas pour cette raison.

– Ah ! Ah ! Ah ! Pas si vite, le paternel ! Les Australiens sont fins, aimables... C'est-y vrai ?

– Là où ils se trompent, c'est avec les garçons !

– OK, maman. J'savais que tu comprendrais pas. (À voix basse) T'es une femme, après tout ! Faut pas chercher plus loin !

Ouf !

Dans les soirées, il n'est pas rare de voir les hommes d'un côté et les femmes de l'autre. Ça change avec la jeune génération, mais ça se pratique encore beaucoup. Quand les hommes entrent du travail, ils aiment bien prendre une bière et se détendre; pas de discussion. Une petite anecdote en passant survenue lors d'un party qu'on appelle « fête » et prononce « fight ». Pendant qu'on s'amusait comme des fous, un homme me demanda ce que je pensais des féministes. Tous me regardaient, attendaient ma réaction. Avec le plus grand sérieux, j'expliquai que j'étais féminine non féministe, que j'étais contre ces mouvements pour l'égalité des sexes. Je fus applaudie par les hommes.

– Bravo ! bravo ! Elles sont formidables ces Canadiennes.

Les femmes restèrent de marbre. J'ajoutai en articulant bien chaque mot.

– Pourquoi les femmes se battraient-elles pour devenir les égales des hommes ? C'est ridicule ! Pourquoi se chicaner, s'abaisser, pourquoi être égales quand nous sommes déjà supérieures !

Et les femmes de m'applaudir frénétiquement ! Les hommes demeurèrent d'abord visage figé et bec cloué, puis ils se montrèrent bons joueurs, certains menaçant même de me déporter. Ils s'étaient fait avoir.

– Y a-t-il autre chose que vous voudriez savoir ?

– Nothing, absolutely nothing.

Eh oui ! « Rien » fut l'unanime réponse. Au fond, l'un n'est pas supérieur à l'autre; nous sommes égaux avec nos différences.

La plupart des « fêtes » se tiennent à l'extérieur autour d'un barbecue. À l'honneur, délicieuses côtelettes d'agneau, tendres pièces de bœuf, saucisses et « rissoles », délectables boulettes de bœuf haché finement assaisonnées. J'en prépare encore aujourd'hui. Les hommes retrouvent leurs amis, leurs *mates*, prononcé « mytes ». Des heures durant, ils restent debout un verre de bière à la main, discourent de tout et de rien, en parfaite symbiose entre eux. Un peu machos ! Ils boivent toujours debout : même les tavernes n'ont ni chaises ni bancs. Ceux qui ne peuvent se tenir debout s'en vont.

Très solidaire, l'Australien chérit ses amis, ses *mates*. Parfois, cela cause des dissensions chez les jeunes couples. Quand, après le mariage, le mari veut continuer de sortir avec ses amis, ça fait des étincelles. Il y a peu de délateurs. Impensable de dénoncer un copain quoi qu'il fasse ! Qui le ferait serait la pire ordure. Très jeune,on apprend cette exigence. Même au primaire, un *dobber*, un délateur, est frappé d'ostracisme. Cette façon de penser crée de graves problèmes aux autorités. Policiers et professeurs ont beaucoup de difficultés à accumuler des preuves. On n'a rien vu, rien entendu, rien à dire. On ne veut rien corroborer, encore moins témoigner. Seul un Sherlock Holmes peut savoir qui a fait tel mauvais coup ! Tradition de bagnard ?

Sujet intarissable que l'Australie. Je reviens au climat. D'habitude, la température est fantastique, même en hiver. L'été est chaud, très chaud, surtout quand souffle le vent du Nord. Alors, l'air extérieur vous coupe la respiration, vous étouffe. Nous avons connu les deux extrêmes : l'hiver le plus froid et l'été le plus chaud. D'ordinaire, la chaleur ne me dérange pas, mais là, j'ai été servie. Un bon 39 °C à l'ombre, ça défrise le toupet et même plus. À deux occasions, j'ai failli perdre connaissance. J'allai consulter un médecin.

– Ce n'est pas grave; ça arrive parfois aux nouveaux arrivants. Prenez des pilules de sel. En un rien de temps, vous serez mieux.

En Australie, peu de maisons sont climatisées – une autre gâterie que nous pensons indispensable. Les gens ferment portes et volets, se munissent de petits ventilateurs, placent de grandes serviettes mouillées sur les côtés des bassinettes pour rafraîchir et humidifier l'air : les bébés sont ainsi plus à l'aise. Au Québec, Eddie et moi n'avons jamais acheté de climatiseur : même l'été, nous avons horreur de vivre portes et fenêtres fermées. L'été, nous voulons l'apprécier, le sentir et, s'il le faut, le subir. Nous avons vécu six ans dans un condo. L'été, personne sur les balcons, que des condos peuplés d'invisibles, que des prisonniers volontaires dans leurs cubicules ! Une autre planète, quoi ! Et dire que ces mêmes gens qui se terrent dans leur glacière intérieure quand passent les beaux jours se plaignent lorsque l'été devient un peu froid ! Pourquoi ? Moi, fille de soleil, de lumière, de vent et de musique, ai horreur d'être enfermée; je déteste la nuit.

Les Australiens vivent dehors. Nous avons fait de même et continuons de le faire depuis notre retour. Chaque année nous revoit les premiers et les derniers à manger dehors, même sur un petit balcon. En Australie, le midi, en plein centre-ville, il est très courant de voir les employés, tant les journaliers que les professionnels, se rendre au parc le plus près. À notre grand étonnement, certains professionnels, portant veston, chemise, cravate, short et bas à mi-jambe, y déambulent serviette sous le bras. Tous y viennent manger leur fameuse tarte à la viande, la jumelle des tourtières, ou un *sausage roll*, ce pain à hot dog sailli d'une longue saucisse ardente insérée nue au centre et laissée sans moutarde ni ketchup, ou encore de succulents *fish and chips* : leurs frites et poisson, les meilleurs que j'ai pu déguster. Les Australiens mangent aussi du *vegemite*, une confiture brun foncé, au goût aigre-amer. Quelle horreur, du moins pour nous ! Eux adorent ça. Même en voyage, ils en apportent.

Les fruits et les légumes abondent en Australie : oranges, pamplemousses, citrons, prunes, poires, pêches, abricots, melons, raisins, etc. Dans la cour de chaque maison pousse au moins un citronnier. Souvent dans les rues, de gros camions passent vendre melons et oranges. Les oranges, deux dollars le dix-kilos.

Une grosse malle me revient à l'esprit. Dans mon enfance, nous étions pauvres; souvent, la faim me tenaillait. À la vue d'un élève qui mangeait une pomme ou zestait une orange, je salivais; dans mon estomac, un concert imprévisible. Quand mes sœurs Irène et Alvina commencèrent à gagner leur vie, elles arrivaient parfois avec un sac de pommes. Ah ces pommes ! Juteuses, croquantes, le caviar des pauvres. J'en mangeais une et cachais le reste de la deuxième sous mon oreiller. L'odeur des pommes berçait mes rêves. Dès mon réveil, ma main glissait sous l'oreiller, puis je dégustais ce reste. Le lendemain, je m'endormais comblée le visage enfoui dans l'arôme de mon oreiller.

Pour la Noël, ma mère achetait une douzaine de pommes et une d'oranges qu'elle plaçait sous clef dans une grosse malle, sise au bout du corridor du haut de l'escalier. L'odeur de cette malle me tourmentait. Souvent, assise sur le plancher, tête collée à la malle, je m'enivrais de l'odeur des pommes et des oranges. Qui n'a jamais eu faim ne peut saisir ce que ressent un ventre creux humant un fruit inaccessible. En Australie maintenant, je pouvais manger tout mon saoul de pommes, d'oranges et de tous les fruits que désirait mon cœur. Pauvre maman ! Comme j'aimerais pouvoir la gâter ici en cette terre d'abondance ! Avec le temps, nous avons compris qu'elle adorait bonbons et chocolats. Elle s'oubliait pour nous, jamais ne s'en achetait.

Lors de mon premier magasinage, les commis et caissières m'adressèrent la parole par un « Yes, love ! Can I help you, love ? » Fort surprenant au début ce « Yes, love ! ». Autre surprise : le samedi, les magasins ferment à midi. Imaginez ! Pas de magasinage le samedi après-midi ! Déroutée, je trouvais que ça n'avait aucun sens, aucune logique, mais on s'adapte, on apprend à se détendre, à profiter de la vie.

Oui, le samedi après-midi est sacré. Les gens vont au football, *footie* ou Aussie Rules. À Melbourne seulement, onze équipes professionnelles. Les matchs se déroulent dans une enceinte qui a la forme d'une arène romaine, le Melbourne Cricket Ground. Des foules avoisinant cent vingt mille spectateurs y sont monnaie courante. En même temps, dans cinq autres stades de la ville, d'autres équipes jouent devant seulement trente à cinquante mille spectateurs. Ceux qui pensent qu'au Québec le hockey est une religion devraient aller là-bas. Ils comprendraient vite le vrai sens de l'expression « fanatique du sport ».

Nous allions donc magasiner le samedi avant-midi. Vers onze heures, certains vendeurs sortent de leur boutique, crient leurs spéciaux à tue-tête.

– Steak, lamb chops, chooks (du poulet), come in, give-away prices.

Les enfants riaient, s'attardaient à les écouter; moi aussi. Nous quittions à regret. Chaque jour, le même phénomène avec les vendeurs de journaux qui s'époumonent aux coins des rues.

– Read the *Herald*! Read the *Herald*! Read the *Sun*!

De plus, devant certains magasins, il y avait des roues de fortune. J'aime jouer : j'ai dû être joueuse dans une autre vie ! Je me faisais violence. Pas question, me disais-je, de donner le mauvais exemple aux enfants. Ma raison m'enjoignait de partir, mais le corps tirait de l'arrière. Seigneur, délivrez-nous des tentations ! Quel plaisir anticipé elles promettent ! Pour 25 cents, je pouvais gagner un poulet, un jambon ou autres victuailles. Les profits de ces roues allaient à des activités pour jeunes ou à la paroisse. Il me fallait donc les faire tourner, au moins une fois ou deux... à mon profit. L'enfer est pavé de bonnes intentions ! Misère !

Aujourd'hui, même en Australie, les magasins ouvrent leurs portes tous les jours, ai-je appris récemment. Progrès ou recul ?

Les fins de semaine se passaient à arpenter les rues de la ville, à visiter les musées, les centres touristiques et les environs. Melbourne, une belle ville, bien planifiée. Un carré d'environ deux kilomètres appelé le Golden Square Mile, le mille carré doré, en forme le cœur. Les grands couturiers y ont pignon sur rue. J'affectionnais particulièrement le Myers Emporium, qu'on appelle empire à cause de sa grandeur. On y trouve de tout. Le premier étage ressemble au Foucquet de Paris. Y est étalé tout ce qu'on peut manger : viandes et charcuteries exquises, poissons rares, caviar, pâtisseries recherchées, etc. De quoi rendre Néron jaloux !

Melbourne possède d'excellents transports publics, l'un des meilleurs systèmes de tramway au monde avec ses trois cent soixante-cinq kilomètres pour desservir la ville et ses banlieues, sans compter des centaines de kilomètres de voie ferrée. Une très vieille gare, Flinder's Station, à la façade surmontée d'une grosse horloge sert très souvent de lieu de rendez-vous.

Un jour, j'appris à mes dépens que je n'étais pas tellement technique. Je déclarai à Eddie.

– Pour le conducteur, ça doit être difficile de tenir le train sur les rails, surtout dans les courbes en lacet. Il faut qu'il soit attentif à son travail ! Il ne doit jamais lâcher la voie des yeux.

– Qu'est-ce que tu veux dire par « tenir le train sur les rails » ?

– Pour pas que le train déraille, il faut qu'il le tienne entre les rails.

– Tu parles pas sérieusement ?

Il se mit à me scruter des yeux, et éclata de rire. Oups ! Encore une fois, j'avais dit quelque chose de pas brillant ! Dans ces moments-là, dès que je sais que j'ai gaffé, je hausse le ton; j'attaque avant d'être attaquée : c'est ma tactique russe.

– Qu'est-ce qu'il y a de drôle ?

– T'as vu les roues des trains ?

– Oui, oui, j'les ai vues ! Puis ?

– T'as vu les rails ?

– Oui, j'ai vu les roues, j'ai vu les rails, j'ai vu les portes, j'ai vu les fenê... Il m'arrêta, prit sa voix de directeur, celle qui me frise les oreilles.

– Le train se conduit tout seul ! Les roues glissent sur les rails. Sur chaque côté des roues, il y comme une lèvre qui dépasse et garde le train sur les rails.

– Penses-tu que j'ai examiné ça ? Pourquoi un conducteur, alors ?

– Pour accélérer ou freiner en cas de besoin.

– Comment se fait-il que les trains déraillent si souvent, si les roues sont prises sur les rails ?

– Les rails sont défectueux, il y a des objets sur les rails, l'aiguillage fait défaut et bien d'autres raisons.

J'avoue, je ne suis pas technique. Je finis la journée moins ignorante !

Une autre fois, on revenait de Melbourne en tramway. J'écoutais les gens. Plusieurs parlaient l'italien, le grec, le maltais. Dépitée, je me tournai vers Eddie.

– Cout' donc, ils pourraient pas parler français, ces gens-là ?

– Pourquoi ? Ils sont en Australie. Le français est rare ici.

– Alors, qu'ils parlent la langue du pays ! C'est la moindre des choses !

– Ah oui ! Puis toi, est-ce que tu parles la langue du pays ? Tu me parles en français !

Pas facile de s'adapter à une autre culture ! Nous parlions la langue de notre pays d'adoption... je m'ennuyais du français.

Revenons à Melbourne. Un quart de la superficie de cette ville est consacré aux parcs et jardins publics où abondent arbres et fleurs. Les Jardins Fitzroy s'étalent sur vingt-huit hectares; le Jardin botanique royal couvre à lui seul quarante hectares. La ville compte plus de douze mille espèces d'arbres, de plantes locales et importées, des lacs d'agrément peuplés de canards et de cygnes, même de cygnes noirs. Un ravin de fougères enroulées autour d'un vieil étang, un *billabong*, complète l'ensemble.

La fameuse Moomba Parade, événement haut en couleurs, l'équivalent de la Saint-Jean – moins la controverse – nous a tous conquis. Ce jour-là, au grand plaisir des spectateurs qui les acclament défilent artistes, comédiens et comédiennes des séries télévisées, chars allégoriques.

Un jour de promenade, notre conversation prit une drôle d'allure quand je fis remarquer à Eddie :

– Où sont les salons funéraires ? J'en ai pas encore vu un seul.

– Sens-tu venir la mort ? (Eddie)

– Ah, papa ! C'est vrai, on en voit pas ! (Ed)

– Pas de Orgie Borgie ? (Muriel)

– C'est qui, maman, Orgie Borgie ? Est-ce que je le connais ? (Lynda)

– Laisse faire, Lynda, il est mort.

Muriel venait de régler son cas.

– Papa, qu'est-ce qu'ils font avec les morts ?

– Ils les envoient au ciel en avion supersonique !

Surprenant qu'Ed n'ait pas encore ajouté son grain de sel.

– C'est pas vrai, ça, papa ? Ils peuvent pas, ils sont morts.

Grand éclat de rire général. Eddie commença les explications.

– Ici, c'est différent de chez-nous. C'est un pays chaud. Au début, il y avait pas d'embaumeurs. Comme il faisait très chaud, il fallait enterrer les morts rapidement.

– Pas dès qu'ils meurent ?

– Pas avant qu'ils meurent, papa ?

– Franchement, Dada, arrive en ville.

– Non, mais presque. Dès qu'ils sont morts. Même aujourd'hui, les choses ont peu changé. Si une personne meurt dans un accident, la famille, qui est aussitôt avertie, achète un cercueil, tout comme nous le faisons. Immédiatement fermé, le cercueil est amené le soir même à l'avant de l'église. Les parents et amis y passent pour prier et rendre témoignage, environ une heure. Le service a lieu dès le lendemain. Comme tous les morts sont incinérés, les gens ne vont pas au cimetière, mais se réunissent autour d'un brunch qui souvent comprend du poulet et du champagne. On se rappelle les bons moments de la vie du défunt, et c'est tout.

Ed et Muriel trouvaient que c'était un bon tour à faire aux embaumeurs.

– Tu veux dire, chéri, que si un de nous décédait aujourd'hui, on ne le verrait que quelques minutes, le temps de l'identifier ? C'est terrible !

– C'est pas plus terrible que ce que nous faisons. Nous veillons nos morts pendant deux ou trois jours. Les proches ont peut-être beaucoup de peine ou un peu; c'est selon. Mais la majorité des visiteurs parlent souvent un peu fort. Après les dernières visites dans des salons ici, je préfère certainement les funérailles australiennes.

Seulement trente pour cent de la population australienne est catholique et pratiquante, mais est très convaincue. Elle croit à la vie éternelle, alors pourquoi désespérer quand meurt l'un des siens. Une connaissance d'Eddie a quitté la vie peu après notre arrivée; tout s'est passé comme il l'a expliqué. Dans les églises, l'atmosphère est très détendue; les gens pas empesés. Avant la cérémonie, ils parlent entre eux, sont toujours respectueux. On se sent à l'aise, une vraie communion entre amis.

Une coutume toutefois me laissa perplexe. Chaque semaine, nos élèves se rendaient à l'église pour une messe d'une ambiance fort invitante agrémentée de chansons et du son de la guitare. Le vicaire m'avait demandé de lui désigner deux élèves pour servir la messe. J'avais choisi un garçon et une fille. Quand il les aperçut, il me regarda, incrédule.

– Qu'est-ce que ça veut dire ? Où sont mes servants ?

Je le regardais sans comprendre.

– J'vous ai demandé deux servants de messe.

– Oui, les voici.

– Madame McGrath, une fille ? Une fille pour servir la messe ? Vous êtes pas sérieuse. Really !

– Au Québec, les filles servent la messe.

– Peut-être, mais certainement pas ici.

Il semblait froissé, la mine et le visage réfrigérés. Inutile de poursuivre, je sortirais de mes gonds.

Aux vacances de Noël, nous partîmes en tournée. La veille du départ, en partant magasiner, je m'aperçus que j'avais oublié la liste d'épicerie. Eddie courut la chercher. Je lui criai quelque chose alors qu'il sautait la clôture avant. Il se retourna, sa jambe gauche rencontra la brique et il se retrouva blessé. Oh la, la ! Qu'il s'était fait mal. Un morceau de chair enlevé, l'os à vif. Le sang giclait. Les enfants se précipitèrent. En vitesse, je cherchai des pansements.

–T'aurais pas dû sauter la clôture; tu le savais, tu nous l'as assez souvent répété.

Lynda le regardait découragée, mains sur les hanches, déconcertée de voir qu'il ne suivait pas ses propres conseils.

– T'aurais pas dû, t'aurais dû savoir !

– Veux-tu bien te taire, tu vois pas que papa est blessé ! Il a mal. Tu vois pas ? Ça saigne. T'as pas de cœur.

Muriel était choquée mais Lynda, inflexible.

– Oui, j'en ai, mais il aurait pas dû sauter ! Il l'a répété et répété : « Sautez pas la clôture, sautez pas la clôture ! » Il savait !

Le fou rire nous gagna malgré nous.

– T'as raison, Lynda, j'aurais pas dû. C'est ma faute. C'est ça qui arrive quand on écoute pas.

– J'le savais qui aurait pas dû sauter la clôture.

– Si tu la fermes pas, j'vais te mettre un silencieux. (Ed)

– Assez ! Eddie, je t'amène à la clinique. Le médecin lui fit des points de suture, prescrivit des antibiotiques pendant que Lynda lui expliquait, dans les moindres détails et gestes à l'appui, comment son père s'était blessé en sautant la clôture, lui qui les avait avertis de ne pas le faire. Le médecin avait de la difficulté à garder son sérieux.

Je voulais retarder le voyage, mais Eddie insistait pour partir. Le lendemain, nous gagnions Castlemaine, Bendigo, Echuca. Pour nous, des noms bizarres.

Petit aparté. Au Québec, un jour qu'Eddie quittait l'école, une dame lui demanda de la déposer près du métro. Il acquiesça. Tout en parlant, la dame lui demanda son nom.

– Eddie McGrath.

– McGrath ! Quel nom bizarre !

Trop poli, Eddie s'abstint de commenter et continua de parler à la dame. Avant qu'elle sorte de l'auto, il lui demanda son nom.

– Trégouette !

Reprenons la route. Echuca vient d'un mot aborigène qui veut dire « où se rencontrent les eaux ». Sise au confluent des rivières Murray, Campaspe et Goulburn, cette ville de dix mille habitants fut autrefois un port de mer important où l'on peut encore admirer le PS Adelaide, le plus vieux bateau à aubes australien. Un arrêt à Swan Hill puis nous longeons la Murray vers Mildura. À droite, des péniches et des bateaux de plaisance. La Murray fournit l'eau potable à Adélaïde et a rendu possible le développement d'un vaste réseau d'irrigation qui a changé en terres fertiles une partie du désert. Pour des excursions sur la Murray, on peut louer de luxueux bateaux munis de cabines climatisées, de salle de bains attenante, de spa et de sauna. Lors de nos randonnées, nous aimions manger bien et à bon prix dans des hôtels pittoresques où sont servis d'excellentes limonades, *lemon squash*, et des steaks savoureux.

Un jour que nous étions arrêtés dans une boutique d'artisanat vint notre première rencontre avec les Aborigènes. Sourire aux lèvres, l'un d'eux s'avança vers Lynda. Saisie, elle recula inquiète; des yeux, elle le dévisageait. Les Aborigènes sont aimables, polis et paisibles, mais elle ne se sentait pas rassurée.

Eddie avait demandé aux enfants s'ils voulaient choisir un souvenir parmi les belles peintures et les sculptures aborigènes. Lynda prit une statuette du Sacré-Cœur. Je n'ai pas honte d'être croyante et pratiquante et ne suis pas contre la religion, mais là je pensais qu'elle devait choisir autre chose. Rien à faire. Elle la voulait. Eddie la lui acheta; nous partîmes.

En voyage, Lynda avait son coin bien à elle. Installée à l'arrière de notre familiale, elle se servait de la glacière comme table pour jouer avec ses poupées. Elle s'allongea aussitôt, prit la statuette dans ses mains et, tout en l'admirant, commença à chanter un bout d'une chanson populaire à l'époque : « I know you're sexy, you're driving me crazy, I can't get you out of my mind. » Éclat de rire général. Pas vraiment la chanson de circonstance, mais c'était drôle ! Je lui expliquai qu'elle vaudrait mieux choisir une autre chanson; ce qu'elle fit. Ed et Muriel riaient, riaient.

Il faisait chaud ! Surchauffe du radiateur. Il fallut s'arrêter. Une heure plus tard, plus lentement, nous roulions vers Mildura. Nous y avons fêté le Jour de l'An par une chaleur suffocante. Heureusement que nous transportions toujours un gros contenant d'eau froide et prenions des capsules de sel ! Tous les motels affichaient complets, avons réservé pour le lendemain.

Fixée sur le toit de l'auto nous accompagnait une tente genre *gueule d'alligator*. Muriel et Ed s'y installèrent dans leurs sacs de couchage; Lynda dormit sur le siège avant de la voiture; Eddie et moi, à l'arrière sur un matelas. Assurément pas le Ritz, mais ça dépannait. À côté de l'auto, pour ceux qui avaient des tentes-roulottes, un grand patio en béton. En pleine nuit, un cri à ressusciter les morts nous fit sursauter. Eddie et moi sortîmes en vitesse, les voisins aussi. Déjà debout à côté de l'auto, Ed nous avait tous devancés. Ce cri terrifiant l'avait propulsé au travers de la toile, lancé par terre sans qu'il ne s'en rendît vraiment compte. Puis Muriel qui n'avait eu connaissance de rien mais dont le hurlement cauchemardesque avait causé tout ce remue-ménage se réveilla à son tour; elle s'informa de ce qui était arrivé à la tente dont un côté pendait en lambeaux. Brèves explications et redodo ! Le matin, nous avons déguerpi assez tôt.

Une bénédiction pour Eddie : la chambre que nous avions réservée était climatisée. À Echuca, tellement sa jambe le faisait souffrir, il avait dû voir un médecin. Celui-ci avait diagnostiqué un début d'infection. Dans ces circonstances et à 40 °C à l'extérieur, il était préférable de rester sur place. Après deux jours de repos, il allait mieux.

Un détour à Marananga dans la vallée de Barossa, la vallée des vins. Ce paradis des amateurs de vin, aux nombreux vignobles réputés, fut développé par des immigrants allemands et polonais. Chaque vignoble peut se vanter d'offrir de six à douze vins aux dégustateurs. Marananga est l'un des plus beaux coins de la Barossa; le Seppelts Winery est aussi le seul vignoble au monde qui possède un porto de grand cru de chaque année respective depuis 1878. Nous avons eu droit à un tour détaillé des réservoirs de fermentation, aux caves de maturation et à la salle de dégustation. Vigneron généreux : dégustation à volonté. La belle vie !

Le voyage continuait. Notre première vraie rencontre avec le désert australien. Au début, un paysage vide : çà et là, quelques chardons géants que nous avons baptisés *piquant bush*; après quelque temps, même ces étendues sans verdure présentaient un certain attrait. Spectaculaires couchers de soleil : tout le bas de l'horizon en feu ! Une rougeur crépusculaire sculptait la silhouette des kangourous, les têtes des chardons s'enflammaient. Quand la lune accrochait sa lanterne silencieuse dans le ciel, nous étions transportés dans un univers magique. Au moment où l'aube se levait sur la pointe des pieds, les battements de mon cœur se faisaient discrets. Je me sentais isolée dans ce monde que j'aurais voulu jalousement garder.

Les kangourous, dont la fourrure est si douce, vivent en parfaite symbiose avec cet environnement. On les admire, superbes, immobiles sur leurs pattes arrières. Le petit bien en sécurité dans la poche marsupiale mais tête sortie pour apercevoir la vie de cette première loge, les femelles bondissent soudainement à l'aide de leur queue et disparaissent à l'horizon. Ces ombres fuyantes nous fascinaient. C'est plutôt facile de les apprivoiser; on peut même en faire des boxeurs. Dommage qu'ils causent tant de dégâts aux fermes ! Non seulement ils prolifèrent et mangent tout mais, en sautant, ils écrasent les clôtures qui séparent les ranchs de milliers de moutons des *dingos*, ces chiens sauvages qui attaquent et dévorent les moutons. Aidés des éleveurs, les gouvernements ont érigé une clôture de deux mètres de hauteur qui part de l'océan, au nord d'Adélaïde, serpente sur 5 291 kilomètres et se termine dans les terres fertiles à 200 kilomètres au nord de Brisbane. Faite de grillage métallique plus dense dans le bas et surmontée de barbelés, elle est entretenue et surveillée à longueur d'année par une cinquantaine d'employés. Malgré cela, les *dingos* réussissent parfois à se faufiler dans les ouvertures pratiquées par les kangourous, les chameaux ou les wombats.

La jambe d'Eddie guérissait. Nous filions vers Adélaïde. Cette ville bornée au sud par le golf Saint-Vincent et séparée au centre par la rivière Torrens jouit de vastes parcs et de larges avenues. Un port de mer, des ateliers de textile et d'assemblage d'appareils électriques, et l'amour des arts attirent de multiples visiteurs. Aux deux ans, nombre d'artistes de plusieurs pays participent au Festival des arts. Adélaïde se targe de ses tartes flottantes faites chacune d'une pointe de tarte immergée dans un bol de soupe aux pois. Les goûts ne sont pas à discuter.

Pour revenir, nous avons longé la côte. D'un bleu azur, la mer houleuse interpellait les surfeurs qui étaient au rendez-vous. Invitantes, les plages propres s'étendent à l'infini. Cette route de retour par la Great Ocean Road nous parut étonnante. Elle zigzague au sommet de falaises saisissantes et plonge parfois vers la mer. En bas, pour un instant majestueuses, les vagues progressent vers les surfeurs. Nous apercevons la plage Bell où, à Pâques, se déroulent les compétitions qui regroupent la crème des surfeurs de la planète, la Surfers Classique.

Sur cette route qui grimpe en lacet au plus haut des falaises défilent Torquay, Lorne, Port Campbell. Mes cheveux se hérissent. Mon cœur devient las de sursauter. Eddie et les enfants débordent d'enthousiasme.

– Regarde, maman, regarde en bas. Quelle vue ! C'est écœurant ! Regarde les surfeurs.

–Où ça, les surfeurs ? D'ici, j'pensais que c'était des phoques.

Éclat de rire général. J'essaie de commenter. Mes lèvres bougent, mais le son ne sort pas. C'est mieux ainsi.

– Regardez, les Douze Apôtres.

– Qu'est-ce qu'ils font ici ?

(Ed et Muriel en même temps, puis Lynda)

– Papa, les douze apôtres sont morts. L'as-tu oublié ?

– J'vous parle des colonnes que vous voyez. On va les voir de plus près. On les appelle les Douze Apôtres.

Au fil des ans, la mer a sculpté ces falaises de calcaire en colonnes difformes d'une hauteur de cinquante à cent mètres. Les plus spectaculaires, les Douze Apôtres et une arche, ont attiré des milliers de touristes. Mais le temps qui les avait façonnées les a en partie détruites : plusieurs colonnes et l'arche se sont effondrées; les douze ne sont plus maintenant que cinq ou six.

Geelong et direction Melbourne. Début février, le devoir nous appelle. Retour à la réalité. Nouvelle année scolaire. J'enseignais dans une école privée. D'ailleurs, toutes les écoles catholiques sont des écoles privées. Jusqu'aux environs de 1975, aucune subvention gouvernementale pour ces écoles. Les paroissiens payaient pour la construction et l'entretien. L'entrepreneur ne construit que la coquille. Les paroissiens s'occupent du reste : finition, peinture, aménagement paysager. La fin de semaine, il n'est pas rare de les voir réparer, rénover, peinturer, tondre le gazon. Plusieurs compagnies se montrent aussi très généreuses. Au collège d'Eddie, elles ont même donné et livré les matériaux nécessaires pour clôturer le terrain de six acres. Leurs dons ne se comptent plus.

Les parents doivent aussi acquitter des frais de scolarité. Plusieurs n'y arrivent qu'au prix de sacrifices. La majorité le fait même si, juste à côté, il y a des écoles publiques gratuites. Ils organisent des collectes de bouteilles, de papier journal; certaines femmes travaillent bénévolement au tuck-shop, la cafétéria, depuis plus de quinze ans. N'allez surtout pas croire que toutes les écoles n'ont que des classes préfabriquées. Oh non ! L'Australie, avec ses écoles et ses collèges très modernes, possède un système d'éducation qui se compare très favorablement au nôtre. Les écoles ont aussi des aide-professeurs spécialisés pour les élèves en difficulté. Les professeurs sont toujours disponibles pour collaborer et seconder. Un professeur a-t-il un rendez-vous chez le médecin ou survient-il une urgence, les autres s'occupent de sa classe. On se répartit les élèves ou, si elle est disponible, la direction vient remplacer. Une règle d'or : le bulletin n'est remis qu'aux parents.

Les professeurs d'écoles privées ne sont pas syndiqués. La plupart ne comptent pas les heures supplémentaires à l'école; c'est fait sans arrière-pensées. Une semaine avant le début des classes, tous nous étions déjà à décorer, à nettoyer, à organiser les sorties, à préparer nos cours : nous faisions connaissance dans une atmosphère de détente et de camaraderie empreinte d'une bonne dose d'humour.

J'avais déjà fait connaissance avec trois collègues quand arrive une grande perche, arborant une moustache à la Salvador Dali. On lui dit qui j'étais et d'où je venais.

En un tournemain, cet hercule, qui s'appelait Oliver, me soulève au bout de ses bras, me dépose sur un pupitre. J'entreprends de descendre, mais il me déplace d'un pupitre à l'autre; enfin, il m'aide à descendre, lance un de mes souliers dehors et me serre la main. Je suis abasourdie ! Un cinglé !

J'éclatai de rire, les autres aussi. Il me regarda, heureux comme le chat qui vient d'attraper une souris.

– She'll be right ! She's apple ! Nice Sheila !

J'avais eu droit à la formule d'acceptation.

Les professeurs s'entraident, organisent les sorties et magasinent pour les excursions. Un peu moins bien rémunérés que les enseignants du secteur public, ils ne pensent pas à changer de secteur. J'ai enseigné dans une classe préfabriquée, j'y ai gelé les matins d'hiver et l'été, presque suffoqué. Pourtant, ces années comptent parmi les plus belles de mes vingt-six ans d'enseignante.

J'ai enseigné dans une classe avec fenêtres mur à mur, du plafond au plancher, de chaque côté, sans stores ni rideaux. Pour couronner le tout, un toit de tôle ondulée. À 39 °C à l'extérieur, l'intérieur devenait un four ! J'avais un éventail, mais pas le cœur d'en garder l'exclusivité, car les élèves aussi avaient chaud. Finalement, comme je le faisais osciller d'un côté à l'autre, j'en étais privée à l'avant. Les élèves, eux, étaient bien contents.

Lynda venait me rejoindre après les heures de classe. Un jour que je m'étais absentée, elle s'était mise à nettoyer le tableau. Mais elle n'était pas seule. Une araignée l'avait devancée. Oui, une grosse araignée montait le long du cadre. Lynda fouilla dans ma remise, saisit la première canette qui lui tomba sous la main, en aspergea la bestiole. À mon retour, saturée de Pledge, l'araignée gisait immobile sur le plancher.

Les Aussies me trouvaient trop pressée. Quand je demandais quelque chose, je le voulais sans délai. « Trop américaine », disait-on.

– Prends ton temps, t'en fais pas, tout va s'arranger, tu l'auras demain ou après-demain.

En mon for intérieur, j'entendais alors la petite ritournelle d'Eddie : « Modère, on va tous arriver à Noël en même temps. » Je me suis impliquée dans le club social, un excellent moyen de m'intégrer. Je devais consulter les confrères, les consœurs et la direction. Ça me permettait de mieux les connaître, d'en être plus près. Il ne fallait pas oublier de souligner les fêtes de chaque collègue, surtout le vingt et unième anniversaire de naissance. Pour un garçon ou une fille, atteindre la majorité, vingt et un ans, un événement presque aussi important que le mariage : grosse réception, cadeaux, chanson de circonstance : « Twenty-one today, twenty-one today... », sans compter la remise symbolique des clefs de la maison. Que le garçon ou la fille se marie avant son vingt et unième, ça ne change rien : on fête quand même. Une coutume sacrée.

À l'école, j'ai bien apprécié l'horaire et le temps imparti à chaque matière. L'avant-midi, matières fondamentales telles l'anglais et les mathématiques. L'après-midi, les sciences naturelles, la géographie, les arts, la cuisine et les sports.

◆

Le sport occupe une place primordiale. Le système éducatif vise le développement intellectuel et physique de l'élève. *Mens sana in corpore sano*, une âme saine dans un corps sain. De la prématernelle à la fin du secondaire, les élèves pratiquent la natation, font de l'éducation physique et des sports. Une demi-journée par semaine va aux activités sportives. D'autres périodes spécifiques sont allouées à la natation et à l'éducation physique. C'est sacré ! Ce n'est pas du temps perdu. C'est une formation supplémentaire avec des élèves plus en forme, plus alertes.

Au primaire, on enseigne le T-ball, la balle molle, le tir à l'arc, le saut en hauteur, le lancer du poids, le *hand ball*, la course et la course de haies, etc. Je ne connaissais ni tous ces jeux ni tous ces sports, encore moins les règlements. Qu'à cela ne tienne ! Un enseignant ne dit pas : « Je peux pas diriger ou surveiller ce jeu, je connais pas les règlements. » Il n'a qu'à apprendre. Les collègues sont toujours disponibles pour expliquer comment faire, fournir un livre de règlements. Qu'il pleuve ou fasse soleil, à moins d'un gros orage, on n'annule pas une activité. En Amérique, on est un peu plus capricieux, mais en Australie, pas de gâteries. « Tu attaches tes espadrilles et tu sors, disent les Aussies, dans le *paddock*, la cour, avec tes élèves. » Ce paddock, un immense champ plutôt qu'une cour d'école. Tu organises ta classe en groupes, tu encourages les élèves, tu cries, tu hurles, tu comptes les points et tu as un plaisir fou. D'ailleurs, dans le paddock s'entrecroisent toujours plusieurs classes en même temps; par moments, l'atmosphère devient très enlevante.

À mon premier après-midi dans le paddock, j'ai failli être scalpée. Ici, on me connaît, je suis une femme entière; je ne regarde pas le hockey à la télévision, mais quand je vais au forum, je me déchaîne. On ne s'ennuie jamais avec moi. Je me donne à fond. Mais là, dans le paddock, seul le respect que les élèves portent à leurs professeurs m'a sauvé la vie ! J'avais étudié les règlements mais, ce jour-là, dans le feu de l'action, je les ai un peu mêlés. Il a fait chaud ! Les élèves soufflaient le feu ! Heureusement que l'entraîneur chef est venu à mon aide.

Les élèves, qui adoraient mon enthousiasme, ont plaidé mon ignorance; ils se sont calmés. Je me suis excusée, ils m'ont pardonné. Ils voulaient absolument que je continue avec eux. J'en ris encore. Quelle journée délirante !

Et les Sports Day ! Ces journées sportives franchement inoubliables. Quel spectacle ! De six cents à mille élèves divisés en quatre house ou équipes portant chacune une couleur distincte: le blanc, le bleu, le rouge, l'or ou le vert. Nos enfants adoraient les sports et la compétition. Ils ont même gagné plusieurs rubans. Reste encore devant mes yeux le souvenir d'une certaine journée sportive. Il faisait une chaleur torride. Notre école était en compétition. Chaque groupe, même ceux de la prématernelle, marchait en rang, faisait le tour du paddock, puis venait s'asseoir en attendant le moment de sa prestation. Les applaudissements fusaient de toutes parts pendant que le curé, le père McCabe, en short et camisole, les bas aux genoux, courait d'une équipe à l'autre, un vrai yoyo, parlant, encourageant tous et chacun. Malgré la chaleur accablante, Muriel et Lynda adoraient ces compétitions.

Je donne peut-être l'impression de sauter du coq à l'âne, mais il y a tellement à dire. Parfois, mue par l'enthousiasme ou l'urgence du récit, j'ai omis divers points qui maintenant refont surface. Dès mon arrivée, certains me posèrent une bizarre de question : « Who killed JR ? », Qui a tué JR ? Des amateurs de la fameuse série télévisée Dallas. De mémoire, l'acteur principal avait été tué au cours du dernier épisode, avant les vacances. Ils se demandaient si j'étais au courant de l'événement et si on connaissait la suite. N'ayant jamais eu le temps de suivre ces séries, je n'en savais strictement rien.

En Australie, certains commerciaux télédiffusés font bien rire. Une fois, un artiste chargé de la publicité d'une céréale verse du lait dans ses céréales et se met à manger. Un chat arrive, saute sur la table et, face à l'artiste, se met à laper dans le même bol. L'artiste sourcille un peu et les deux continuent. Dans certaines émissions de télé, les commentateurs peuvent sans gêne consommer de la bière en direct. Certains programmes dépassent parfois le temps alloué, mais les commentateurs ne s'en formalisent pas. Un peu plus, un peu moins, qu'est-ce que ça fait ?

Un incident tragique a fait les manchettes durant notre séjour, celui de la petite Azaria Chamberlain, ce bébé prétendument enlevé et dévoré par un chien sauvage, un *dingo*. Son père, un pasteur, la mère et leurs deux autres enfants campaient près d'Ayers Rock quand le bébé est disparu. Enquête, procès, rebondissement, la mère fut accusée, condamnée, emprisonnée, puis libérée, de nouveau accusée et condamnée quelques années plus tard puis finalement libérée. Un livre raconte le tout. L'Australie, un bien beau pays où il se commet aussi des crimes.

Les lois y sont appliquées différemment. Mieux vaut traverser la rue aux intersections, sinon une contravention vous attend. Un jour, au centre-ville, Eddie s'était arrêté à un feu rouge. Un passant qui traversait la rue trouva l'auto trop avancée. Il appliqua une tape sur le capot. Un policier l'apostropha, lui fit la leçon et le piéton perdit son agressivité *subito presto*. Sur le trottoir, les gens qui vont dans une direction marchent du côté gauche et les autres, du côté droit; ainsi, ils ne se bousculent pas.

Notre vie sociale prenait forme. Joe et Jane devenaient des réguliers tout comme Charles et Denny. J'appréciais particulièrement Judy Houston, une veuve avec deux jeunes enfants. Je l'avais rencontrée chez sa mère, Lucie Barnes, une bénévole infatigable. Judy était ma confidente et mon amie. J'allais la voir presque chaque semaine. Son mari, un excellent pianiste, avait obtenu une bourse pour aller se perfectionner dans une université du Midwest américain. Elle me raconta leur aventure, leur arrivée avec leur fils en plein blizzard en terre étrangère. Ils ont cru venue la fin du monde. Ils avaient quitté l'Australie début de janvier par une chaleur caniculaire et, peu de jours après, ils se voyaient accueillis par une tempête sibérienne. À peine quelques mois plus tard, un vendredi, son mari tomba subitement malade. Comme ils demeuraient sur le campus de l'université, elle appela un médecin résident. Il lui prescrivit des médicaments, mais son état s'aggravait. Elle rejoignit un autre médecin qui lui dit de continuer les médicaments; il viendrait voir son mari le lundi matin. Aux petites heures du lundi matin, son mari décéda. Quelle détresse ! Quel désarroi ! Seule au bout du monde, enceinte d'un deuxième. Affolée. Police, enquête, autopsie. Sa sœur vint la chercher par le premier avion. Judy, une femme généreuse qui n'élève jamais la voix, qui comprend et sait écouter, garde une bien mauvaise impression des médecins américains, du pays et du climat.

Des amies de Muriel et Lynda avaient déménagé à Ballarat. Nous en avons profité pour visiter cette région où on avait découvert de l'or en 1851. À Sovereign Hill, on s'est tous amusés à laver le sable pour essayer d'en retirer quelques pépites. Peine perdue !

– Regarde, papa, une maison chinoise. Arrête ! On la visite !

– C'est Joss House, un musée, autrefois un temple érigé en mémoire des Chinois qui ont peiné dans les mines durant la ruée vers l'or de 1850 à 1860. Un quart des mineurs étaient Chinois. Ils retournaient en Chine avec l'argent gagné. Ces travailleurs infatigables n'étaient guère appréciés des locaux. Il s'ensuivit que l'Australie institua une politique d'immigration « Blancs seulement ! » qui resta en vigueur jusqu'aux environs de 1960. Ensuite, ils commencèrent à accepter des Asiatiques et de gens de couleur.

Malgré tous ces attraits et la présence de nouveaux amis, je ne me sentais pas chez nous, pas comme au Québec. Peu d'occasions de parler français, sauf au collège des frères du Sacré-Cœur où vivaient des Québécois, des Franco-Américains et des Acadiens. Ils nous ont donné un bon coup de main. Nous voyions surtout les frères Dumont, Marquis et Gallant. Au début, le frère Gallant venait de temps en temps frapper à notre porte. Quelques mois à peine après notre arrivée ici, il y avait élection au Québec. Pour la première fois, René Lévesque se présentait avec sa formation, le Parti québécois. Naturellement, le résultat nous intéressait. Le soir des élections, nous avons couru les stands, les hôtels afin de trouver un journal. Pas de chance ! À vingt-deux heures, on sonne à la porte. Le frère René Gallant annonce : « René Premier, au pouvoir. » Son frère l'avait appelé du Québec. Il était venu annoncer la nouvelle. Ce frère et ses confrères nous ont souvent dépannés.

Sans journaux canadiens ni québécois, je me trouvais coupée de notre réalité, de la vie québécoise. Une orpheline, surtout que l'actualité est ma drogue quotidienne. À l'étranger, ils me manquent toujours.

Notre maison était confortable mais cinq mois après notre arrivée, le propriétaire voulait la ravoir. Après avoir ouvert un commerce qui n'avait rien eu de florissant, il se retrouvait dans le pétrin. Nous n'avons pu refuser. Il fallut déménager, recommencer à nettoyer et à emménager.

– Edna, t'auras un autre jardin à nettoyer. J'espère que t'as encore tes planches et ton livre. Chantons...

J'attrapai une grippe carabinée : il fallut une biopsie. Muriel était inscrite pour une sixième opération. Mauvais début ! Heureusement, je préférais cette deuxième maison. Plus vieille certes et moins moderne, mais une vraie maison australienne. Ma grippe guérit; le résultat de la biopsie fut négatif; l'opération de Muriel, un succès.

Notre cour, un grand jardin anglais de forme rectangulaire. D'abord une bordure de soixante centimètres de fleurs et d'arbustes puis, de même largeur, une allée en béton. Autour et au centre, à profusion, des fleurs aux couleurs vives. Les arbustes débordaient de petites fleurs blanches, jaunes, bleues, roses et rouges qui me rappelaient les cotons imprimés dont ma mère se servait pour nous faire des robes d'été quand nous étions petites. Ma mère habitait constamment mes pensées. Elle qui, chaque jour d'été, choyait ses glaïeuls, ses dahlias et ses zinnias, quel plaisir elle aurait eu ici à jardiner, à s'éveiller avec le chant des oiseaux !

Une fenêtre de notre chambre donnait sur la cour. Au fond poussaient un citronnier, des pêchers et des pruniers aux branches généreuses dont nous avons bien profité. Chaque matin, à l'aube, nous réveillait une explosion de trilles frénétiques. Tout doucement, je me rendais à la porte. M'y accueillait souriante une prodigieuse symphonie de couleurs, d'odeurs et de sons. Assise sur le perron, j'observais les oiseaux s'ébattre dans cette fusion de fleurs. Cette bouffée d'énergie matinale, mon tonique quotidien.

Un soir, des amis nous avaient invités pour le repas. À mi-entrée, je levai les yeux : une araignée plus grosse qu'une pièce d'un dollar grimpait sur une superbe tenture de velours. Cette grosse tache noire velue avançait lentement. Je l'observais, terrifiée, hypnotisée. C'en était une vraie, une dégueulasse, qui n'avait rien à voir avec nos minus d'araignées. Alors sortit de ma bouche un « Ahhhhh ! » strident et prolongé qui pointait l'animal. Tous me regardèrent, la regardèrent, se mirent à rire.

– Don't worry, love ! T'inquiète pas, chère !

Oui, « Don't worry, don't worry. » Facile à dire. Peut-être, après tout, qu'un de mes prénoms est Worry !

J'aurais voulu déguerpir sur-le-champ, fuir, quitter ce coin perdu de pays. Un flash traversa mon esprit : revenir au Québec ! On m'expliqua, lentement, comme on le fait à un enfant. Pas dangereuses du tout les grosses araignées ! Notre hôte la prit dans sa main – « Yurk ! », me dis-je en moi-même – et alla la jeter à l'extérieur. Ça m'avait coupé l'appétit, mais pas la soif ! Je noyai ma peur dans deux coupes de vin, vidées coup sur coup. On ne m'en a pas offert une troisième.

Le concierge de l'école racontait qu'il avait vu juste à côté, dans la remise, sous des planches une araignée venimeuse appelée red-dot spider.

– Mais quel danger, ces araignées ! Leurs piqûres sont mortelles.

– Juste pour les Canadiennes ! (Puis avec le sourire) Don't worry, love. Elles ont pas de chance avec nous. We smash them; on les aplatit.

– Si vous les voyez pas.

– C'est parce qu'il y en a pas. Don't worry ! La vie est belle.

Avant le départ, on avait décidé de faire un dernier sprint à Sydney, ville de trois millions et demi d'habitants, débordante de vie mais bruyante. Sydney, une ville pressée qui ressemble un peu à Montréal. Les gens klaxonnent impatients et bougent. La tour Centrepoint de plus de cent mètres de hauteur avec, au sommet, un restaurant de renom; la fameuse Opera House qui avance dans le port; le pont, le Sydney Harbour Bridge, d'une longueur de cinq cent trois mètres, qui comprend deux voies ferrées, huit voies pour les voitures, une piste cyclable et une voie piétonnière; tout cela fait de Sydney une ville moderne aux multiples activités. La Sydney Opera House, notre Place des Arts en quelque sorte, une vraie beauté dont l'érection a coûté cent deux millions de dollars provenant d'une loterie et non directement des goussets des contribuables.

La plage Bondi, réputée pour ses baigneuses qui arborent un mini deux-pièces fait de soie dentaire, la région de Kings Cross et ses clubs de nuit bruyants, tout ici nous convainc que Sydney n'est pas Melbourne.

Quelle chance ce fut pour nous de pouvoir descendre dans les Jenolan Caves à cent quinze kilomètres à l'ouest de Sydney ! Dans ces grottes souterraines pendent du plafond des stalactites multiformes. Ces merveilles de la nature sont formées par l'eau qui pénètre puis s'égoutte dans les fissures de la grotte. Quand cette eau qui contient du bicarbonate de sodium soluble entre en contact avec l'air de la caverne, une partie du bicarbonate se transforme en calcium carbonaté qui se précipite hors de l'eau et forme au toit de la grotte un anneau de calcite.

Répété ainsi pendant des milliers d'années, ce processus crée des formes diverses (statue, orgue, famille, etc.) hautes d'un à cinq mètres. À l'opposé, les stalagmites sont des cônes de calcite qui semblent émerger du plancher. Les impuretés dans l'eau et l'air de l'intérieur de la grotte donnent diverses couleurs aux formes. Un véritable atelier de sculpteur.

Durant notre séjour *down under*, Eddie était fermement décidé à saisir toutes les occasions pour en voir le plus possible, explorer toujours davantage. Un soir d'octobre 1977, après le coucher des enfants, il déposa deux billets d'avion sur la table.

– Qu'est-ce que c'est ? Où veux-tu aller ? On est pas assez loin ?

– Nous, toi et moi, on s'envole pour la Tasmanie, le week-end prochain, c'est-à-dire vendredi.

– Et les enfants ?

– J'ai tout arrangé. Ils resteront chez des amis.

Il me fit valser autour du salon.

– Arrête. C'est pas le temps de danser. Ça va coûter cher ! On pourrait économiser cet argent.

– Pourquoi ? As-tu besoin de quelque chose ?

– Bien, bien ! Quand on retournera au Québec...

– On va continuer à enseigner.

– Si on trouve de l'emploi ?

– Fie-toi à moi, on va en trouver.

L'éternel refrain. Il ne changerait jamais... Je ne suis pas certaine que je voulais qu'il change.

– On est ici, on ne reviendra probablement jamais dans le coin, autant en profiter. Regarde, j'ai apporté un livre sur la Tasmanie. Viens, viens t'asseoir près de moi : je vais te montrer notre itinéraire. Son enthousiasme communicatif et un long week-end d'amoureux en perspective, rien pour me déplaire.

La Tasmanie, le sixième et le plus petit État de l'Australie, fait quelque 68 mille kilomètres carrés, la grandeur du Nouveau-Brunswick environ. On l'appelle l'Angleterre du sud à cause de ses pluies et de ses brumes matinales. C'est Abel Tasman, un navigateur hollandais, qui, en 1642, découvrit ce territoire que des Aborigènes habitaient depuis fort longtemps déjà. Un génocide d'une rare violence anéantit ces premiers occupants. En 1803, l'Angleterre prit possession de la Tasmanie et y installa une colonie pénitentiaire. Lors de la rébellion de 1837 dont Louis-Joseph Papineau fut l'instigateur, trente-sept Québécois y furent déportés.

La Tasmanie est située en zone tempérée. On y cultive fruits et légumes dont les pommes et les pommes de terre. La forêt, les mines de tungstène, d'étain, de cuivre, d'argent, de plomb et de zinc constituent ses principales ressources naturelles. Les pluies abondantes et le terrain montagneux favorisent le développement de centrales hydroélectriques qui permettent de satisfaire à 80 % de ses besoins. Y vivent des vipères, des serpents venimeux, dont le serpent au ventre jaune, et les lézards les plus longs au monde, jusqu'à cinq mètres.

Vendredi, dix-huit heures, atterrissons à Launceston, Tasmanie. Le temps de déposer nos bagages, nous partons explorer la ville. Tranquille et propre, cette ville dont un mur longe la rue principale. Nous soupons à la Butter Factory, une vieille bâtisse, style le Vieux Munich; trois paliers et des alcôves discrètes. Charmant ! Au centre, un immense barbecue. Chacun choisit son steak, l'apprête et le fait cuire à son goût. Bouteille de vin, salade, pain frais : la détente me comble. Hobart, la capitale de la Tasmanie, est, après Sydney, la plus vieille ville d'Australie. Méritent d'être visités le Musée, la Galerie d'art et Le Parlement, construit en 1840 par les prisonniers. À Richmond, on trouve le pénitencier le mieux conservé, la plus vieille église catholique et le plus vieux pont.

– Eddie, on dirait une ville de reliques !

Tôt le lendemain, nous reprenons la route : le pont Batman, puis Campbell Town et Ross. Le pont Ross, une merveille architecturale construite par les bagnards qui travaillaient chaînes aux pieds dans d'inhumaines conditions. Port Arthur, une ancienne prison pénale maintenant transformée en musée, a reçu plus de treize mille prisonniers dont deux mille moururent. Chaque cadavre était enveloppé dans de la toile à voile, jeté dans un trou et saupoudré de chaux vive. Les prisonniers dont plusieurs n'avaient été condamnés que pour avoir volé un pain ou pour de menus larcins étaient durement traités. L'Angleterre se débarrassait des hommes qui dérangeaient, des rivaux et de certains bandits. Dans l'église, encore debout, de très hautes cloisons isolaient chaque prisonnier. Impossible de voir son voisin. Les marécages, les chiens et la distance empêchaient toute évasion. En 1996, dans la cour de cette prison, un déséquilibré a tué plus de trente personnes.

Filons ! Filons ! Arrêtons à la Gorge, un passage étroit entre deux sentiers escarpés. Les roches patinées par l'eau et les ans affichent une suite de courbes sinueuses et lisses. Le Shot Over Tower, avec sa très haute tour d'ancien moulin est un lieu historique. Eddie m'offre un pendentif réplique-de-la-tour que je porte encore avec bonheur; il est fait d'écorce d'arbres à l'intérieur et rehaussé de fleurs locales. Une excursion au Blow Hole : l'eau y descend abrupte des montagnes à travers les méandres, zigzague et s'engouffre finalement dans une étroite courbe à 90 degrés. La force de l'eau est telle qu'elle émet un sifflement strident et remonte en éclaboussant les touristes. Spectaculaire, mais aussi fort traître ! La tête avancée au-dessus du garde-fou, je fus copieusement arrosée.

– Mes cheveux ! Ma belle mise en plis !

L'eau dégoulinait de ma tête, le ressort de mes belles frisettes s'affaissait.

– Edna, Vidal Sassoon !

Ses yeux pétillaient de malice. Mes cheveux étaient depuis longtemps devenus un sujet de taquinerie entre nous. Il faut dire qu'ils ne frisent pas au naturel. Comme j'ai horreur d'être décoiffée, ma vanité en prenait un coup ce jour-là.

– Si seulement j'savais quel chromosome détient le fer à friser !

J'avais lu qu'en Angleterre, on pouvait se faire coiffer par un émule de Vidal Sassoon. Je m'étais bien promis d'y aller.

– Ils pourraient mettre un écriteau.

– Un écriteau tel celui-ci : « Les frisées seront défrisées ! »

La soirée se passe au casino de West Point, notre première dans un tel endroit. Un casino classique, bien rodé où on se ruine facilement mais ne s'enrichit que rarement. Un monde de chimères, de rêves entrevus et vitement enfuis. Sirotons une consommation tout en déambulant entre les machines à sous, la roulette et les autres jeux. Eddie achète quarante dollars de jetons. Le râteau du croupier se déplace sans arrêt. En quatre minutes, un gain de trente-six dollars : on arrête ça là. Pour ce soir, finis les gros risques ! Laissés libres, nous furetons partout. Beaucoup d'hommes jouent mais aussi bien des femmes, des dans-la-soixantaine-avancée, toutes centrées sur le jeu. Obnubilées par la fumée, les cartes et l'argent, elles ne voient rien d'autre. Bonheur éphémère !

Dès le réveil, nous roulons vers le mont Wellington. Route étroite et sinueuse. Les hauteurs me terrifient. Mon cœur se resserre. Près du sommet, la panique me gagne; mes nerfs cèdent. Impossible de continuer. Je demande à Eddie de me laisser sur le bord de la route. J'insiste.

– Dès qu'il y a un espace de libre pour me ranger, j'arrête.

Un autobus bondé de touristes dévale la pente à une vitesse folle. Pas surprenant d'en retrouver dans les ravins ! De véritables casse-cou, ces chauffeurs !

Prudent, Eddie continue. À peine trois minutes plus loin, le sommet. Je m'agrippe à l'auto en sortant. Il vente. Tremblante, je m'éloigne un peu; puis, tel un ressort fatigué, je me redresse lentement. Un panorama à couper le souffle. Je reste suspendue dans l'espace. Il me faudrait des ailes, pouvoir voler, mais surtout être brave. Le vent me caresse le visage. Peu à peu, il balaie mes craintes. J'ai toujours aimé le vent, son souffle brutal dans la tourmente, son mugissement les nuits d'hiver! Je ressens le plaisir qu'il m'apporte quand je me promène cheveux libres, vêtue d'une robe légère.

La descente, soixante-cinq kilomètres de route montagneuse, tortueuse, désertique et poussiéreuse, fut plus facile que nous l'avions prévue. Je me sentais toute drôle.

– C'est la fin du monde au-delà du réel. On se croirait sur la Lune.

– Tu as jamais si bien dit. Au début des voyages dans l'espace, les astronautes américains sont venus s'entraîner ici. À ce qu'on dit, les conditions sont similaires à celle de la Lune.

– Eddie, appuie sur le frein! J'veux pas partir en orbite.

Enfin, Deloraine, un bijou de ville! Un site pittoresque, typique. Arrêt à une boutique d'artisanat dont nous repartons avec un ensemble de bols à salade en pin Huon. Ces pins majestueux qui prennent des centaines d'années à pousser atteignent jusqu'à cent mètres de hauteur. Il en reste très peu. Coupe interdite.

Retour à Aussieland après quatre merveilleuses journées ensoleillées.

La maison est impeccable. Ed a passé l'aspirateur, lavé le plancher de la cuisine, placé les chaises sur la table. Plein de délicatesse, ce garçon-là! Un vrai cœur! Parfois, il nous porte le déjeuner au lit! À notre retour, lui aussi, il en a à raconter.

– J'aime ça, l'imprimerie; le boss est fin. Je me suis fait des amis, je vais à la pêche avec l'un d'eux en fin de semaine. Une chance que je vais à l'école juste une semaine par mois.

– Pourquoi ?

– Parce tu sais que je déteste y aller autant qu'avant. C'est cool, l'apprentissage. J'suis prêt à endurer l'école une semaine par mois.

– As-tu des problèmes ? Tes professeurs ?

– Non, non, ça va bien. C'est juste que j'ai jamais aimé l'école, tu le sais, maman. J'aime l'Australie. Puis, le voyage ?

– On va aller chercher Muriel et Lynda; on vous racontera tout.

J'avais hâte de les voir. La première fois que nous partions sans elles. Elles sont excitées, contentes, parlent en même temps. Je finis par comprendre qu'elles se sont bien amusées, que Muriel aime beaucoup l'Australie, qu'elle s'est couchée tard parce qu'elle et son amie avaient bien des choses à se dire. Lynda en a long à raconter aussi.

– Moi, je suis allée en randonnée. On a apporté notre lunch, on a fait un pique-nique. J'ai vu un gros serpent long comme ça. Non, c'est pas dangereux si on les laisse passer.

– J'haïs les serpents et toutes les bébites ! (Muriel)

La conversation ou la cacophonie se poursuit jusqu'à la maison. Elles sont heureuses de nous revoir. Durant la soirée, Muriel nous raconte que quatre chevaux se sont noyés dans le ruisseau, derrière l'école, vous savez le Kororoit Creek !

– La pluie tombait, tombait très fort.

– Comme le déluge de Noé. Eddie la taquine.

– C'est qui ça Noé ? Est-ce qu'il s'est noyé, lui aussi ?

– Lynda, laisse faire Noé. Ils appellent ça un flash flood.

– Une crue subite. Il pleut trop vite, la terre peut pas absorber l'eau.

– C'est ça, papa, l'eau a monté, monté et les chevaux étaient attachés, ils ont pas pu se détacher, ils se sont noyés.

– Pauvres chevals ! As-tu pleuré, Muriel ?

– Chevaux. On dit chevaux !

– OK ! Chevaux. Puis tu dis que tu aimes l'Australie ?

– Oui, mais j'aime pas les flash floods.

– Moi non plus. Mais j'aime mieux camper dans les belles vallées; l'herbe est verte.

– Parce qu'il y a des ruisseaux, c'est humide.

– Ah ! C'que c'est beau ! Maman, on était en haut et partout où on regardait, c'était d'un beau vert tendre. J'avais jamais vu ça en Australie.

L'Australie possède très peu de rivières et de lacs. La rivière Yarra qui coule sur une distance de 185 kilomètres traverse le centre-ville de Melbourne; elle n'est pas large à cet endroit.

Dès les premiers jours, dans les vitrines de plusieurs restaurants de Melbourne, je voyais souvent écrites les lettres BYO. Ça voulait dire Bring Your Own : on pouvait apporter notre propre boisson. Ça me paraissait bizarre, cette coutume que j'avais remarquée pour la première fois quand nous étions allés souper au restaurant avec des amis : ils avaient apporté du vin. Par la suite, je fis comme eux. Une excellente invention australienne, le vinier.

Noël approchait, la chaleur aussi. En magasinant, on avait vu, réduite à 15 $, une piscine de soixante centimètres de haut et quatre mètres et demi de diamètre. Le commis expliqua qu'elle n'avait qu'une petite déchirure et nous remit gratuitement une boîte de pièces et de la colle.

– À ce prix-là, rien à perdre !

Lynda et Muriel pourraient s'y allonger. Ed, Muriel et Lynda avaient bien ri de cette piscine, mais aucune ne leur a procuré autant de plaisir. Comme ils s'y sont amusés ! Et nous aussi, tous les cinq en même temps. Durant les fêtes, par 40 °C, elle avait l'attrait d'une piscine olympique.

Noël venait à grands pas. Par cette chaleur suffocante, un peu bizarre d'entendre chanter *White Christmas* ! Vue d'ici, la neige semblait une invention des Martiens. Peu d'Australiens décorent leur maison, mais tous se préparent pour les fêtes.

Parade du père Noël, décoration des arbres, fébrilité du magasinage : l'esprit des fêtes s'empara de nous. La Noël ressemble à la nôtre: repas chaud avec dinde, tout ce que nous mangeons sauf le plum pudding traditionnel, sauf aussi qu'il fait chaud, pour nous; normal, pour eux !

Encore six mois, nous serons dans notre maison. Que j'avais hâte ! Pourvu que... Pourvu que... je pensais distance, avions, accidents... Eddie, lui, organisait le retour. Il semblait avoir des fourmis dans les jambes. Je lui trouvais l'air cachottier, mystérieux. Les guides d'agence de voyage apparaissaient régulièrement sur la table du salon. Je feignais de les ignorer, mais pas dupe. Il préparait un voyage, mais certainement pas seulement celui du retour. Un soir, avant Noël, on lisait; le chat sortit du sac.

– Tu sais que dans six mois, on sera chez nous.

– Oui... puis j'ai hâte !

– On verra probablement plus ce coin de pays.

– C'est vrai, mais j'avais jamais imaginé qu'on y viendrait.

– C'est une belle expérience. Il tournait autour du pot. Tu sais, les voyages sont formateurs.

– Oui, t'as raison. Ils vident aussi le compte de banque.

Pas la moindre réaction ! Je ne mordais pas à l'hameçon, mais il ne paraissait pas déconcerté pour autant.

– J'ai bien réfléchi. On est même pas allés en Nouvelle-Zélande.

– Ni sur la Lune ni en Chine ! Il y a même des endroits qu'on a pas visités au Canada et au Québec.

Je le voyais venir avec ses gros sabots.

– On en a déjà visité pas mal; le reste, on le visitera quand on sera vieux. On est jeunes, en forme, on peut marcher, on peut explorer. Tu connais la Nouvelle-Zélande ?

– On en parlait pas souvent à Rivière-à-la-Truite.

Je finaudais.

– Niaise pas, chérie. J'ai pensé qu'on pourrait y aller après Noël, juste nous deux, douze jours à partir du neuf janvier.

– T'es drôlement précis pour un homme qui vient juste d'y penser. Tu penses vite ! Pas laisser les enfants ? On est partis quatre jours il y a pas si longtemps.

– Oui, ça va faire seize jours, seize jours en six ans; c'est pas exagéré. Les enfants ne veulent pas venir. Je leur en ai parlé.

Il avait réponse à tout, balaya toutes mes objections, puis alla chercher les billets qu'il avait cachés sous sa table de chevet.

– Tu les avais la semaine dernière, quand on a été cambriolés ?

Oui. La semaine précédente, des voleurs avaient brisé le cadre de la porte et vidé les tiroirs; ils n'avaient touché ni aux bijoux ni à notre appareil-photo ni aux passeports qui valent pourtant cher sur le marché noir. Sans doute surpris par notre arrivée, ils avaient laissé tomber des billets d'un et de cinq dollars dans le corridor qui mène à la porte du salon.

– Non, je les avais pas encore, mais tout l'argent du voyage était sous cette même table. S'ils avaient su, ils se seraient pas contentés d'une cinquantaine de dollars.

– Les voleurs semblent nous avoir adoptés.

Au Québec, je m'étais réveillée et avais aperçu un voleur dans notre chambre à coucher. Quel choc ! Un voleur qui, durant notre sommeil, se promène dans la maison, surtout dans nos chambres, ça donne des envies meurtrières !

– Si j'en attrape un, il a besoin de savoir courir.

– New Zealand, here we come ! Laissons le passé.

– Et notre voyage de retour ? Ça va coûter des sous. Tu prépares un itinéraire digne des grands explorateurs. T'exagères pas un brin ?

– Pas du tout ! Ça, c'est différent ! Un petit bonus !

– Allô, bonus. Un voyage de cinquante jours.

– Pas cinquante, chérie, quarante-neuf, quarante-neuf jours.

– Merci pour la précision, je faisais une erreur monumentale !

– Une journée, c'est une journée. Imagine, s'il t'en restait qu'une à vivre et qu'on te l'enlevait ?

– Laisse tomber, j'gaspille ma salive pour rien.

– T'as donc raison. Notre temps est trop précieux.

Eddie courait les agences de voyage et les bibliothèques, revenait avec des dépliants, des cartes et des livres, même pour les enfants. Cousteau n'aurait pas mieux fait. Quatre mois plus tôt, il nous avait réunis autour de la mappemonde. Avec force détails et enthousiasme, il nous avait expliqué notre voyage de retour. Le trajet comprenait – quel bonus ! – un détour par l'Asie et l'Europe : quarante-neuf jours sur la route. Il avait tout calculé. Les enfants étaient emballés; moi aussi, mais avec des réserves. Si jamais il gagne à la loterie, je m'achète une autre paire de jambes. Avec lui, j'ai appris qu'une valise devient une nécessité.

Encore une fois, Eddie s'était bien renseigné. Notre encyclopédie ambulante connaissait la Nouvelle-Zélande. Il m'en avait présenté l'essentiel. Un pays de trois millions d'habitants qui couvre une superficie de 268 mille kilomètres carrés. Située entre la mer de Tasman et l'océan Indien, la Nouvelle-Zélande n'est qu'à cinq heures de vol de Melbourne, comprend deux îles distinctes, celle du nord avec ses terres fertiles, ses volcans toujours actifs, ses geysers, ses sources d'eau thermale et ses cavités de boue bouillante. Plus montagneuse, celle du sud est agrémentée de prairies idéales pour la culture céréalière et l'élevage de moutons. Les montagnes dont le sommet d'au moins vingt s'élève à plus de trois mille mètres s'étendent d'un bout à l'autre de l'île. Le plus haut sommet, celui du mont Cook, atteint 3 765 mètres. Cette île compte aussi d'innombrables glaciers et des champs de glace. Pour quelqu'un qui a peur des hauteurs, j'allais être servie. Une information bien importante, la Nouvelle-Zélande est le premier pays qui a donné le droit de vote aux femmes.

– Imagine, Eddie ! En 1893, les femmes votaient en Nouvelle-Zélande. Au Canada, il a fallu attendre 1917 et au Québec, 1940. J'ai hâte d'y aller.

C'est à l'autre bout du monde qu'on trouve le pays le plus avant-gardiste et innovateur. Ma mère l'aurait aimé, elle, si féministe avant son temps. Il y plus de cinquante ans, un soir d'élection, mon père se promenait en pieds de bas dans la cuisine. Il était déçu. Ma mère se berçait, arborait un large sourire. Intrigué, mon père qui la regardait lui dit :

– Pourquoi t'es de bonne humeur ? On vient de perdre nos élections !

– T'aaas perdu tes élections ?

– Qu'est-ce que tu veux dire ? T'aaas perdu tes élections ? Toi aussi ! Une femme peut pas voter contre son mari, ça annule son vote. Puis, t'es allée voter avec le char du parti.

– Pierre, tu penses qu'on va acheter mes convictions avec un char, tu te trompes. J'ai voté pour le meilleur homme. J'ai gagné mes élections !

◆

Mon père resta bouche bée, changé en statue ! Il n'en croyait pas ses oreilles.

– Sais-tu que t'es pas mal smart. (À voix basse) Faudrait jamais dire ça à personne... tu comprends, Mary-Jane.

Si elle comprenait... À l'écrire, j'ai encore envie de rire. Pauvre papa !

Mieux vaut enfouir ces bribes du passé et revenir à la Nouvelle-Zélande.

Les Maoris y vivent depuis plus de onze cents ans. Un pays sans enclaves ni réserves. Ces autochtones sont des citoyens à part entière. On les encourage à garder leurs coutumes et leurs cultures tout en travaillant côte à côte avec les Blancs. C'est ici, pas très loin de Queenstown, sur le fameux pont suspendu, le Kawaru, que A.J. Hackett Bungy a fait le premier saut en bungee, un saut de quarante-quatre mètres. Désireuse de mousser la pratique de cette acrobatie, sa compagnie offrit un saut gratuit à quiconque sauterait nu. Devant la surabondance des preneurs, on annula ce type de publicité.

La Nouvelle-Zélande abrite plusieurs sortes d'animaux rares dont l'albatros, le plus grand des oiseaux de mer, le kiwi, un volatile aux ailes plutôt courtes, et le diable de Tasmanie. Ce dernier ressemble à un chien qui a mal tourné; il a des oreilles roses de chauve-souris et des moustaches de chat; il grogne comme un diable en furie et émet une odeur nauséabonde pour déstabiliser ses adversaires; on le dit le plus grand mangeur de chair au monde; il déchire sa proie en grognant et en hurlant férocement. Les diables de Tasmanie s'entretuent et se mangent parfois entre eux. Contente de ne pas en avoir rencontré ! J'aurais sauté plus haut qu'en Australie !

La Nouvelle-Zélande, le pays des *Verts*. Ces gens qui respectent l'environnement et sont contre le nucléaire ont même empêché un navire américain, à propulsion nucléaire, d'accoster dans un de leurs ports. David contre Goliath ! En outre, c'est dans un port de la Nouvelle-Zélande que la France a coulé un bateau de Greenpeace, le Rainbow Warrior. Il y eut mort d'homme. Ces informations aiguisaient mon appétit de partir.

Le 9 janvier, alors que nous survolions les montagnes de l'île du sud, le pilote vint nous expliquer qu'il allait effectuer une descente pour nous donner une vue exclusive de ces montagnes. J'avalai de travers et pris un air nonchalant. J'avais envie de lui dire : « Dérange-toi pas pour moi ! » Un groupe d'aînés faisait partie du voyage. J'engageai la conversation avec une dame qui me rappelait ma mère. C'était son premier voyage en avion. Elle était un peu inquiète. Je la rassurai et lui fis valoir tous les attraits de la Nouvelle-Zélande.

Atterrissage à Christchurch qu'on a souvent appelé la Garden City, ville qui compte au moins mille acres de jardins et de parcs publics. Le lendemain débute le parcours. Omara, Tiamau et Dunedin. Ces noms m'enchantent. Au centre de Dunedin, ville construite sur le modèle européen, un square entouré d'édifices gouvernementaux, de boutiques et de restaurants. S'y trouvent la seule boutique de kilt de tout le pays et l'unique distillerie de whisky. Aussi intéressante qu'un musée et classée monument historique, la gare est en pierre bleue massive, ornée d'animaux, d'armoiries, de nymphes, de volutes, d'un plancher en mosaïque et même de vitraux reproduisant des locomotives à vapeur. Visite plaisante du jardin botanique suivie d'un concert détendu à la fontaine musicale du square !

Eddie a choisi l'itinéraire, organisé chaque journée, calculé chaque kilomètre à parcourir, ciblé chaque attrait. Avec lui comme guide, on va en découvrir des merveilles. Il adore conduire, n'est jamais fatigué, toujours de bonne humeur. Il sait dénicher les endroits les plus intéressants, les choses les plus captivantes. Si j'ai le goût d'un café ou qu'une curiosité capte mon attention, nous nous arrêtons. On n'est jamais stressés, sauf pour ma frousse des hauteurs. Dès le départ, on est sous le charme. J'adore chanter, je chante souvent, parfois faux, mais je chante avec tout mon cœur et mes tripes. Eddie m'accompagne par bribes; il ne se rappelle pas toujours les paroles ou les mêle contrairement à moi qui sais des centaines de chansons. On s'adonne à des jeux, on ajoute de nouveaux couplets aux chansons. Pauvres compositeurs ! Jamais on ne s'ennuie et toujours on a à se dire. Nous aimons voyager.

Quelquefois nous rendant faire nos emplettes ou nous promenant, nous apercevons un avion à l'horizon. Un coup d'œil complice, puis ensemble :

– Belle journée pour s'envoler !

– En Égypte ou en Grèce ?

– J'préférerais la Chine. J'y pense souvent. Tu te rappelles quand on était petits. On nous demandait 25 cents pour faire baptiser un petit Chinois.

– La Sainte-Enfance ! C'qu'on en a donné des 25 cents !

– Oui ! Année après année, on donnait le seul qu'on réussissait à économiser. On est pas loin d'avoir fait baptiser la moitié de la Chine.

– À moi seule, j'ai donné des noms à au moins une douzaine de Chinois. Et on était pauvres. J'aimerais aller voir si je rencontrerais pas un Eddie Wong ou une Edna Chang.

– Malte, tu sais Edna, il faut que je vois Malte puis l'Irlande, pays de mes ancêtres, comme de raison. (soupirs)

– Ça viendra ! Tout de même ! Belle journée pour partir !

Revenons à la Nouvelle-Zélande. Prochaines villes : Balclutha, Gore et Lumsden. La route est souvent à flanc de montagne. Jusqu'à maintenant, je n'ai pas trop hyperventilé. Avant d'arriver à Lumsden, un pont en métal surplombe un ravin; la route tourne à 90 degrés juste à l'entrée du pont qui semble suspendu dans le vide; le fond du ravin est loin. Le pont et la voie ferrée sont côte à côte, on peut voir le vide par endroits. À l'entrée, un feu de circulation. Comme dirait ma sœur Raymonde : « Ça me fait *blouzer* pas à peu près ! » J'avertis Eddie.

– Eddie, arrête l'auto. Tout de suite ! Arrête !

– Pourquoi ?

– Parce que j'traverse pas ce pont. J'vais pas plus loin.

– C'est la seule route, on a pas le choix, aucun danger.

Il arrête. Je sors. Il me suit. Je m'assois sur le talus. De près, la vue est plus terrifiante encore. Mon sang fige. Dans mes poumons, l'air se raréfie.

– Eddie, j'peux pas traverser ce pont.

– Edna, tu sais bien que j'mettrais jamais ta vie en danger ? Sois raisonnable, chérie. On va à Milford Sound. C'est la seule route. Qu'est-ce que tu veux faire, passer cinq journées ici ?

Je déteste passionnément le mot « raisonnable ». La peur n'est jamais raisonnée ou raisonnable. Eddie n'avait pas fini sa phrase qu'un autocar de touristes avançait à vive allure sur le pont ; naturellement, il avait ralenti à notre hauteur ; pas le choix, la courbe.

– Any problem, need help ?

– No, no, everything is fine.

Oui, « fine » ! Plus « fine » que ça je serais sans connaissance ! J'avais la frousse. Je savais qu'il me fallait traverser. La veille, j'avais lu qu'on allait avoir à franchir des cols. Eddie me cajola, je cédai. Je tentai de me détendre, fermai les yeux, cherchai à visualiser notre véranda à Laval. L'image fuyait, je ne pouvais la rattraper.

– Tu peux ouvrir les yeux ! On est de l'autre côté.

Ouf ! Cette rivière, la Shotover, autrefois réputée la plus riche au monde pour son or ne sert plus maintenant qu'à un sport de casse-cou. Des bateaux « volent » sur l'eau à folle vitesse. À la toute dernière seconde, ils pivotent et s'immobilisent à quelques centimètres de la paroi du canyon. Ouf ! Eddie y serait allé. Moi ? Jamais !

◆

Bientôt Te Anau et Milford Sound. Le soleil est de connivence. Juste avant d'arriver à Milford Sound, nous approchons du tunnel Homer. Autre feu de circulation. Me revoilà muette comme une carpe au corps verbeux. Eddie me toise du coin de l'œil. Le feu tourne au vert, nous avançons. Je pousse un cri. Il fait noir. On dirait qu'un rideau s'est abaissé. Phares défonçant les ténèbres, on avance au ralenti.

– Eddie, c'est horrible ! On voit absolument rien.

– J'sais pas, c'est étrange ! Ça doit pas être long. Tu as vu l'autobus sortir du tunnel tout à l'heure.

Un frisson me parcourt l'échine. Encore deux minutes qui semblent une heure. Au bout du tunnel, un rai de lumière. Autre courbe à 90 degrés. Une route en lacet longe la montagne, et Milford Sound nous accueille. La devise des bâtisseurs de ce tunnel et de cette route, sans doute « Pourquoi faire simple quand on peut faire compliqué. »

Le cône de mont Mitre bondit hors de l'eau à 1 692 mètres d'altitude. Fjord impressionnant. Une tournée en bateau nous amène à proximité du Mont. L'eau cascade d'une falaise, glisse à vitesse vertigineuse le long des parois et s'écrase à nos pieds en écume tourbillonnante. « Une caisse de champagne à quiconque osera se doucher sur le pont ! » lance le capitaine. Qu'il est facile d'être généreux quand on est certain que personne va relever le défi ! Des phoques se prélassent sur des roches tapissées de mousse et à demi submergées. Çà et là, entre le lichen et quelques arbustes intrépides, des fleurs sauvages se faufilent vers la lumière.

À Cascade Creek, une auberge offre un repas typiquement anglais : rôti de bœuf, Yorkshire pudding et tout le kit. À l'aube, l'air est frisquet. Non loin, un ruisseau ondule à la surface lisse des cailloux. Une profusion de lupins aux couleurs vives s'élancent vers le soleil. Quelques photos; nous repartons. À Queenstown, je monte dans une gondole au sommet du mont Coronet. L'air doit m'avoir fait chavirer la tête. Le mont Cook nous attend.

Cromwell ! Tu resteras à jamais gravé dans ma mémoire. Rivés à la route qui côtoie un incroyable précipice, nous longeons la montagne. Je fais corps avec la voiture et penche du même côté pour l'empêcher de tomber dans le ravin. Je chante, lis, deviens moulin à paroles. Dans la radio qui crépite, une nouvelle attire mon attention : « Hier, quand une bourrasque s'est abattue sur Cromwell, une voiture et sa remorque ont été catapultées dans le ravin. » Je tressaille. Je regarde Eddie impassible. Je mettrais ma main au feu qu'il a tout entendu.

– T'as entendu ?

– Quoi ?

– La nouvelle à la radio.

– Quelle nouvelle ? J'écoutais pas. Je réfléchissais.

– Oui ! Oui ! Tu réfléchissais. T'as pas eu de lobotomie pourtant.

– J'te suis pas. Qu'est-ce que tu veux dire ?

Ça sert à rien, autant lui rafraîchir la mémoire.

– Ah ! tu as bien dit hier ? Hier est passé. Aujourd'hui, il vente même pas. Le vent est en congé ! Baisse ta vitre et mouille ton doigt; il ne séchera même pas, tu vas voir.

– Ça prouve quoi ?

– Qu'il vente pas, pas la moindre petite brise.

Inutile de continuer, je perds mon temps. C'est presque indécent d'être toujours aussi optimiste et aussi confiant.

– Chante donc la dernière chanson que tu viens de chanter, je l'aime.

– Quelle chanson ? T'écoutais même pas.

– Ah ! Regarde ! On y est !

Oui, Cromwell, un petit plateau suspendu entre d'immenses montagnes. Vision apocalyptique ! Le dernier endroit au monde où je voudrais rester. Motel propre et luxueux. Après souper, allons marcher un peu. Le temps de nous retourner; nous avons fait le tour de Cromwell. À la sortie du village, un pont en métal; à l'entrée, un kiosque en fer forgé. Ce pont ressemble à celui de Lumsden que je refusais de traverser. Un peu plus solide, mais le même son métallique. La peur a un son et une odeur, on l'entend d'abord et on la sent avant de la voir.

Tout en marchant sur le pont, Eddie cause avec un promeneur. Quant à moi, bien assise dans le kiosque et collée au fond du banc par l'aimant de la peur, je risque tout autour un regard. Des motos semblent gravir la montagne. Où est la route qui mène au mont Cook ? Eddie ne tarde pas à revenir.

– On peut longer la route au bas de la montagne; mieux encore, il existe un raccourci, la route des motos.

– Non, chéri, pas cette route, j'aurais trop peur.

– Mais le monsieur m'a dit qu'elle est très sécuritaire; elle est moins longue de vingt-cinq kilomètres.

Je n'ajoutai rien. Ma nuit fut peuplée de cauchemars : j'étais au haut d'une montagne et je tombais, tombais et tombais en une chute sans fin. Le réveil me vit cœur et organes contractés. Quand Eddie annonça qu'il prendrait le raccourci, des larmes coulèrent sur mes joues.

– Qu'est-ce qui se passe, chérie ? C'est la route qui te fait peur ? On va prendre l'autre. T'aurais dû me le dire.

– Je te l'ai dit hier soir.

– J'pensais jamais que tu avais si peur. La dernière chose que je veux, c'est de te faire de la peine.

J'aimerais vous décrire ces six heures de route, l'étape du mont Cook. Elles sont malheureusement toutes disparues de ma mémoire, ces heures. Dispersées dans le brouillard de mon inconscient. Totalement amnésiée, je n'ai repris conscience avec la réalité qu'au motel du mont Cook. Sournoise, l'amnésie s'insinue à l'improviste dans le cerveau. Eddie me parlait d'un convoi, de policiers que nous avions rencontrés, d'un restaurant où nous avions dîné; j'aurais parlé avec la dame de l'avion... Je ne saississais aucunement ce qu'il voulait dire, ne me rappelais plus quoi que ce soit. Rien. Le vide! Une sensation étrange, pas du tout rassurante. Eddie était renversé. J'avais agi normalement, mais je n'étais pas là, du moins pas mon esprit. Les détails de cette journée ne me sont revenus que graduellement quelques années plus tard.

L'Ermitage. Un peu ébranlée, j'ai fait un somme.

Le mont Cook, un lieu de prédilection pour les alpinistes, pour les randonnées d'escalade, pour les mordus des glaciers. Si le cœur vous en dit, un hélicoptère vous transporte sur les champs de glace. Très peu pour moi qui préfère la glace d'une patinoire! Surprise, quelqu'un parle français. Échangeons avec des Français épris d'alpinisme.

Eddie se lève tôt et part en randonnée. Je n'y vais pas. Il a venté très fort toute la nuit. J'ai bien dormi, mais ne veux pas abuser. Après déjeuner, je m'avance à l'extérieur. Le vent souffle toujours. Quel panorama! Le mont Cook se dresse majestueux et fier dans l'air pur. Ici maintenant, même si nous sommes loin du Québec, je me sens mieux. Entre Picton et Kaïkowa, tel un chevalier sans peur, je monte dans la tour d'observation. On parcourt Bleinheim, le port de mer. On se gâte d'un souper au homard. Ça vous remet le cœur d'aplomb, ce bon goût d'Acadie.

Huitième journée. Toujours vivante et moins craintive. La traversée à l'île du nord, quatre heures de douceur. Arrivons à Wellington, la capitale, surnommée La Venteuse, une ville de 350 mille habitants acculée à la mer par des montagnes aux pics de plus de neuf cents mètres. Souvent, pour empêcher les piétons d'être renversés par les courants d'air propulsés dans l'étroit passage du détroit de Cookles, les autorités font fixer des cordes le long de certaines rues. Incroyable!

Tour de ville. Le vieux parlement : avec ses soixante-dix mètres, le plus long parlement en bois au monde. En forme de ruche, le nouveau, à ce qu'on dit, ne distribue guère les douceurs.

Sommes en avance sur notre horaire. Couchons à Palmerston Nord, le début de la partie fascinante de l'île. Première journée à Taupo. Un bain thermal à notre disposition. Quelle détente ! Au restaurant, la serveuse qu'on interpelle poliment continue de feuilleter un magazine, se fait attendre. D'humeur exécrable, elle nous lance le menu, nous sert un jus de tomates qu'il faut manger à la cuillère. On le lui fait observer. Elle certifie que c'est du jus. Je ne le bois pas. Le repas est servi de même façon. À table, j'aime une ambiance détendue. Je déteste qu'au restaurant, les gens soient bêtes avec les serveuses, mais celle-là vraiment, elle met à l'épreuve ma bonne volonté. Inutile de discuter ! En quittant, j'apporte mon verre de jus à la caisse avec l'addition et le montre au gérant. Il se confond en excuses, déchire l'addition. Eddie insiste, il veut payer au moins le mets principal. Le gérant refuse. Moi qui n'aime pas faire de vague, je me sens mal à l'aise. Il nous souhaite un bon voyage. Arrivons à Rotorua. Ici la terre bout, crache, suinte : le paradis des geysers, des volcans, des sources thermales et de la boue en ébullition. Nous accueille une vision cosmique, digne du *Retour vers le futur*. Des fontaines de vapeur jaillissent de la terre et s'élancent vers le ciel. Le geyser Pohutu projette parfois sa vapeur à plus de trente mètres. Pas très loin, à Waiotapu, le pays de l'insolite, des cratères encroûtés de soufre, des étangs émeraude, des terrasses en silice (quartz cristallisé), des lacs fumants couronnés d'algues rouges remplis de petites bulles de dioxyde de carbone glougloutant constamment. Il fait chaud, mais je frissonne. Je me sens attirée par cet étrange spectacle que ma raison craintive cherche à fuir.

– Eddie, je pense que la terre est une énorme bouilloire.

– Oui, ma chère, c'est l'endroit idéal pour une bonne tasse de thé ou une bonne soupe aux tomates.

Nous approchons, voulons voir ça de près. Je sautille. Partout sous nos pieds, l'eau bouillante circule. S'il fallait qu'elle jaillisse à côté de nous. Il faudrait plus qu'une chirurgie esthétique pour nous redonner notre identité. J'ai l'impression d'halluciner. Dire qu'on a tendance à penser que la terre est composée de terre et de roches et d'un peu d'eau, non de gaz et d'eau bouillante. Encore une chose qui déconcertait ma mère. « Comment ça s'fait que si, comme vous dites, il y a trois fois plus d'eau que de terre, et que la terre est ronde, c'est c'que vous dites aussi, comment ça s'fait que l'eau prend pas le dessus, qu'on est pas enseveli sous l'eau ? » C'est vrai que c'est difficile à comprendre, Galilée l'avait compris, mais les Galilée sont rares à Rotorua, encore plus à Rivière-à-la-Truite. Qui plus est, il n'était pas intime avec ma mère. Il aurait eu des explications supplémentaires à lui donner. Qui sait s'il n'aurait pas fini ses jours dans un chaudron de vapeur !

À Rotorua, la vapeur est canalisée. Elle fournit eau chaude et chauffage aux maisons, aux baignoires extérieures, aux écoles, aux hôpitaux, aux usines; elle fait même fonctionner les réfrigérateurs. Les Maoris se servent de cette eau bouillante pour cuire leurs aliments. Ils mettent la viande et les légumes dans un genre de panier de lin tressé, de forme allongée, et le plongent dans l'eau bouillante. Une coutume ancestrale encore bien vivante dans ce village maori.

Plus loin, le geyser Lady Knox entre chaque jour en éruption à dix heures quinze précises. Autrefois, les prisonniers venaient y laver leur linge. Le directeur qui avait remarqué que le savon faisait bouillir l'eau plus fort avait jeté deux kilos de savon en poudre dans l'orifice du geyser. Constatant que l'éruption projetait la vapeur beaucoup plus haut, il s'était alors servi d'une roche comme une canule et pouvait ainsi recueillir plus d'eau chaude.

Toujours à Rotorua, sur une arche maorie sculptée, une enseigne indique Hell's Gate, la porte de l'enfer. Nom subtil. Un sentier de roches volcaniques guide nos pas, qui résonnent d'un bruit sourd et caverneux vers un étang peu profond, The Artist's Palette, aux reflets émeraude, jaunes et orangés. Dans la chaleur humide de l'air flotte une odeur de souffre. Le long d'un autre sentier abondent des trous de boue en effervescence. De gros bouillons chocolatés s'agitent et se soulèvent dans un flic flac indolent. Un vrai chaudron de sorcière en cet endroit propice à la magie. La hâte de déguerpir me reprend. On me paierait cher pour m'établir en Nouvelle-Zélande, pays au nord en constante ébullition et au sud garni de montagnes et de ravins.

La Nouvelle-Zélande compte aussi des forêts et des lacs qui regorgent des plus grosses truites arc-en-ciel au monde. Au lac Tarawera, il n'est pas rare, dit-on et ce n'est pas une histoire de pêcheurs, de sortir une truite de cinq kilos. Les guides garantissent aux pêcheurs qu'ils ne reviendront pas les mains vides. Je salive déjà, moi qui marcherais assez loin pour déguster un bon morceau de truite roulée dans la farine et rôtie dans le beurre. Un régal à faire damner un saint; et au ciel, on ne se préoccupe pas du cholestérol, foi d'Edna !

Un centre d'art nous ramène sur terre. Au centre d'un parterre, un puits entouré de fleurs mirifiques. Appuyé sur la margelle, Eddie m'appelle.

– Viens voir le beau puits. Il est peu profond, l'eau est propre et pure.

Je m'approche, mais aussitôt recule.

– C'est de l'eau bouillante. Il y en a encore ici ? (Rire d'Eddie)

– C'est pratique. Imagine, pas besoin de faire bouillir l'eau. C'est Hydro-Québec qui serait frustrée. J'avais pas pensé à ça.

Ça me ramène à ma mère, un brin superstitieuse. Au printemps, les jours de gros dégel, une vapeur montait parfois de la terre. C'était, disait-elle, des âmes du purgatoire qui s'étaient égarées et cherchaient à retourner au ciel. Ma mère avait de ces superstitions ! Nous la taquinions sans merci. Avec l'âge, elle y croyait moins. Pas de doute, ce jour-là, la Nouvelle-Zélande devait certainement compter une armée d'âmes égarées... qui avaient chaud !

Un spectacle maori relégua mes peurs aux oubliettes. Torses nus, visages peinturlurés, figures de diables, pieds nus, lance à la main, les danseurs, de beaux hommes costauds et fiers, se meuvent au son d'une musique rythmée. À intervalles réguliers, ils font mine de vous attaquer avec leur lance pendant qu'à une vitesse incroyable, leur langue sort et entre. Tout le monde riait; plus les gens riaient plus ils en remettaient. « Ousqu'al é, ma jeunesse ? » aurait certainement dit ma mère devant un tel spectacle. Et ma famille aussi de rire aux larmes quand, de retour au Québec, je leur ai fait une petite exhibition de sort-et-entre la langue.

Jolies, attirantes et talentueuses, les femmes maories ne sont pas en reste. Leur spectacle de danses maories et hawaïennes fait loucher bien des hommes.

D'évidence, la visite des grottes de vers luisants fut moins vibrante mais tout aussi intéressante. Les grottes Glow Worm Grotto se trouvent dans les cavernes Waitomo. Nous descendons sous terre, nous assoyons dans une chaloupe, restons silencieux. Devant nos yeux, un spectacle saisissant. La caverne est illuminée de millions de minuscules ampoules bleues : avec leur salive gluante, des vers luisants, sorte de petites larves style moucherons, suspendent au plafond de la caverne de longs fils qui attirent les petits insectes volants. Étonnant et ingénieux. Ironie du sort, le plus souvent les bébés mangent les adultes. Des fils de différentes longueurs pendouillent du plafond où sont attachées des millions de petites lumières. Le guide fit un bruit. Totale noirceur. Minutes de silence. À nouveau, elles scintillent. Un mode de vie qui dépasse mon imagination !

Encore quelques détails sur Auckland, la plus grande ville de Nouvelle-Zélande où se côtoient cyclistes et joggers, une ville qui comptent cent vingt plages à proximité. Eddie, qui est né à moins de cent mètres de l'eau et qui, dès onze ans, plongeait avec ses copains de toute la hauteur du pont Snowball, au moins huit mètres, ne peut se retenir de visiter le port. Il aurait dû se faire marin !

Dernière tournée rapide : cathédrale, campus, marché et centre-ville. Dans la vitrine d'une petite galerie d'art, des toiles invitent à entrer les amateurs de peinture que nous sommes. Ce n'est pas très sage.

– Edna, regarde cette toile du mont Fuji. Nous allons le voir au Japon. Ce serait un beau souvenir. Pas cher ! Qu'en penses-tu ?

Il en brûle d'envie. Si je le lui demandais, il dirait oui sans hésiter. Alors... Toile précieusement roulée, nous partons souvenir à la main.

Au moment d'embarquer, nous sommes en rang. Juste à côté de moi, un homme qui a une peinture sous le bras.

– Eddie, notre peinture ? Je l'ai mise sur l'auto près de la nôtre dans le stationnement. Je ne voulais pas la mettre à terre. Je l'ai laissée là.

– J'y vais !

– Eddie, voyons ! Tu peux pas : on va rater notre envolée.

Il part. Je le suis. Il court à toutes jambes. Déjà disparue du stationnement l'auto sur laquelle j'avais mis la toile. Nous regardons, scrutons les voitures.

– Eddie, là au fond, regarde celle qui s'en va, c'est celle-là, notre peinture est encore sur le côté du capot.

Eddie s'élance. Hélas ! Trop tard. L'auto continue de rouler. Impossible de la rattraper. Grosse déception ! Nous détalons vers l'entrée de l'aéroport, filons vers notre salle d'embarquement sous les regards ahuris du personnel. On nous crie quelque chose. Sommes sourds et muets. On est à fermer la porte de l'avion. Eddie fonce. Estomaqués, on nous regarde. Perplexe, l'hôtesse nous conduit à nos sièges. Tombons assis. Attachons nos ceintures. Tentons de respirer normalement. Ouf ! Il était moins une ! Mon cœur regarde par le hublot et voit ce qu'il a perdu.

– T'en fais pas, chérie. Il y a rien là. On se reprendra.

Il est bon d'être de retour. Lynda s'est ennuyée, Muriel aussi, mais le montre moins; Ed en a long à dire.

– J'ai été à la pêche avec mon ami Mark. Pas croyable comme j'ai aimé ça. On plante de longues cannes solides dans le sable. On apporte un lunch parce qu'on passe la nuit là.

– Vous apportez aussi une bouteille ?

– D'Ouzo, mais on boit pas ça tout d'un coup. On était là, on jasait bien installé sur la grève, grillant une cigarette, sirotant un verre d'Ouzo. La nuit était sombre, on était bien. Tout était calme. Un seul bruit, le flic flac des vagues.

– Comme en Acadie !

– En plein ça, tu comprends. J'me sentais très bien, relaxe; en dedans, la grande paix. Tout à coup, ma canne part; elle était solidement plantée dans le sable pourtant, mais a décollé. J'suis debout comme l'éclair, j'me jette à l'eau, j'l'attrape, j'ris comme un débile, Mark encore plus... Là, il voit que j'ai de la misère à tenir ma canne, il saute à l'eau lui aussi.

– Hold on, Ed ! It's a big one.

Là, Ed est debout au milieu de la cuisine. Il bouge, gesticule comme s'il revivait l'expérience.

– On avait un poisson, on voulait pas l'perdre. Il se débattait, il était fort, mais on était plus forts que lui. Ça pris une grosse demi-heure, mais on l'a eu. Vous devinerez jamais quelle sorte c'était ?

Longue pause. Ed nous regarde à tour de rôle, certain d'avoir toute notre attention. Muriel est tannée, elle veut savoir.

– Envoye ! Parle !

– Un bébé requin !

– Pas un vrai requin ! Tu nous niaises !

– Oui, un vrai ! Presque soixante centimètres de longueur. On était énervés. On l'éclairait avec notre lampe de poche.

– Il vous a pas mordus ?

– On lui a pas donné de chance ! Mark avait un bon couteau, mais il était tellement énervé que la lame est restée prise quand il l'a plantée. Ç'a pas été long que le requin a arrêté de gigoter.

– Vous deviez être beaux à voir !

– Mets-en. On était trempés jusqu'aux os. On s'est fait un feu, on s'est déshabillés, on s'est glissés dans nos sacs de couchage, puis on a fait sécher notre linge.

– Vous étiez tout nus ?

– On pouvait pas rester mouillés.

– Qu'est-ce que vous avez fait avec le requin ?

– Avec mon couteau de chasse, on a tailladé de belles tranches. Vous en avez dans l'réfrigérateur.

– J'en mangerai pas ! Moi non plus. Muriel et Lynda sont unanimes. J'suis même pas certaine de vouloir y goûter.

– Le pire, nos sandwiches étaient toutes mouillées; elles goûtaient le sable. Mais on retourne dans deux semaines. C'est la plus belle expérience de ma vie !

Il était heureux. Muriel et Lynda en avaient perdu la parole.

Eddie, méticuleux, prépare le voyage de retour. Régulièrement, il revient avec des dépliants, des cartes, même des livres de voyage pour enfants. Il passe ses soirées à les consulter, choisit les endroits à visiter, réserve les chambres d'hôtel. Déjà, il a loué un Eurovan, véhicule récréatif, pour parcourir l'Europe. Simultanément, je dresse un aperçu des us et coutumes des pays, je recueille des informations pertinentes sur les endroits intéressants. L'itinéraire est fixé.

Départ le onze mai. Arrêts : Singapour, les Philippines, le Japon, Hong Kong, la Thaïlande, l'Inde puis l'Europe. Quarante-neuf jours de tourisme. Plus d'un mois et demi sur la route, à visiter. Tout un contrat. Le coût, comme un goût de sciure dans la bouche ! J'essaie de rationaliser.

– Ça me paraît beaucoup d'argent ! Il me semble qu'on pourrait se limiter un peu, dépenser moins, être plus prudents.

– Prudent, je suis toujours prudent. À bien y penser, ma mère aurait dû m'appeler Prudent. Nous avons un coussin de cinq mille dollars au Québec. Combien de couples avec trois enfants peuvent en dire autant ? Prudent, c'est moi ! On est pas toujours en vacances !

– Sais-tu que depuis juin 1976, nous avons eu dix semaines de vacances à l'été, deux semaines à l'automne, sept semaines à Noël. En 1977, six semaines à l'automne et encore sept à Noël. En partant le 11 mai 1978, ça fera quinze semaines de vacances pour cette année. Y as-tu pensé ? Ça veut dire quarante-sept semaines de vacances sur une possibilité de cent dix. Penses-y. Onze mois et demi sur un petit peu plus de deux ans. Ça te fait pas réfléchir, ça ?

– Oui, beaucoup ! Je dois avoir mal calculé. J'étais trop prudent ! J'aurais pu faire l'inverse ! Je te promets de mieux faire la prochaine fois.

– Eddie. Il faut tout de même travailler de temps en temps !

– Chérie, plus je réfléchis, plus je suis heureux qu'on puisse faire tous ces merveilleux voyages. Agrippe-toi, ça ne fait que commencer ? On a tant de plaisir à voyager. Fie-toi à moi !

Cré Eddie ! Il aurait été heureux de parcourir le monde avec un baluchon, travaillant juste assez pour pouvoir continuer. Pas qu'il est paresseux, au contraire, tout ceux qui le connaissent le considèrent bourreau de travail.

La vie continuait. Un festival de rhododendrons dans les montagnes Dandenongs : une belle occasion pour visiter la région. Je ne pense jamais revoir autant de grosses fleurs en un seul endroit. Poussant un peu plus loin, en pleine nature, nous apercevons un peintre à l'œuvre.

– Il faut aller voir ce qu'il peint. Venez, les jeunes !

– Mumu, Lynda, papa a dit : « Il faut, on s'en ira pas les mains vides. »

Ed connaît bien son père. Il se laisse tenter par trois autres peintures.

Quelques mois ! Visite de boutiques d'artisanat : pantoufles en peau de mouton, peintures faites d'écorce, sculptures, on ne veut oublier personne. Le départ me réjouit. Un peu moins Eddie et les enfants qui sont bien intégrés ici. Ed qui s'est fait une blonde resterait volontiers; Muriel et Lynda aussi. Mais ils partiront, dussé-je les droguer, les ligoter et les porter à l'avion. Je ferais tout pour eux sauf rester en Australie.

Eddie avait quitté très jeune la maison paternelle, avait déjà vécu en Australie. Entre les siens et lui, pas de liens étroits comme ceux que j'entretiens avec les miens, mon père et ma mère encore vivants. Sa mère était décédée trois mois après notre départ. Oublier cette journée, impossible ! Trois mois après notre arrivée en Australie, un télégramme nous parvient. L'enveloppe blanche entourée d'une bordure noire me donne un choc. Je me mets à trembler, je crie à tue-tête.

– Eddie, Eddie ! Quelqu'un de décédé. Ma mère !

Il accourt. Je déchire l'enveloppe, commence à lire : « On désire vous informer du décès... ». Mes yeux sautent sur le nom et je dis : « Ah, Seigneur, merci, merci, c'est pas ma mère ! »

– Alors, c'est qui ?

Je regarde Eddie et réalise l'énormité de ce que je viens tout juste de dire.

– Excuse-moi, chéri, c'est... c'est ta mère. J'suis désolée ! Je suis sincèrement peinée.

Nous pleurons.

Je veux retourner chez nous, au Québec, revoir mes parents, mon Acadie. Je ne veux pas qu'il arrive quelque chose aux miens. Je veux être près d'eux.

**Notre maison
Sunshine, Australie**

Silly people ? ... à Silly cycle

Lynda, Muriel, Skippy, Louise Cox

Les « 12 apostles » et 4 disciples

◆

Le retour

Enfin, le jour tant attendu ! On a bien failli devoir le remettre à plus tard. Muriel et Eddie m'ont mis les nerfs à rude épreuve. Six jours avant le départ, Muriel s'est fait piquer par un insecte, sur le côté extérieur de chaque jambe, à la même hauteur. Sans doute un effort concerté d'une bibite anticanadienne et Muriel. Forte fièvre, frissons, antibiotiques, trois jours pénibles. Puis Eddie, jamais malade d'ordinaire, eut la fièvre. Visite au médecin et antibiotiques. Je les traitais aux petits oignons, ne ménageais aucun pas. À croire qu'on ne voulait pas que je parte ! J'étais prête à tout. Nous allions partir ! La cinquième journée, ils allaient mieux; la sixième les a vus guéris. J'avais prié et fait brûler des lampions : les saints avaient besoin d'être à l'écoute ! J'ai parlé au Gars d'en haut en vraie Acadienne, directement, sans détour. Aux grands maux, les grands remèdes ! Et Muriel de me dire : « Tu sors l'artillerie lourde, maman ! » J'ignore ce qui a été le plus efficace : les médicaments, mon dévouement, mes prières, ma discussion avec le Grand Boss. Probablement un peu tout ça. Même ma mère n'aurait pas fait mieux.

Ce séjour qui, par moments, m'avait paru interminable prenait fin. Finis ces deux ans d'Australie ! J'avais pourtant appris à aimer ce pays qui m'a vu enseigner et où j'ai rencontré des gens formidables. J'ai apprécié la bonté et la compréhension de nos amis, de mes confrères et consœurs de travail et des autres. Ils m'ont acceptée, taquinée. J'ai appris de leur façon de profiter de la vie, de vivre plus détendue, au ralenti.

Tous là, à l'aéroport, nos amis. Ils nous avaient fêtés. À moi, pendentif, boucles d'oreilles et bracelet en argent sertis d'opales. À Eddie, vases en porcelaine, coupe d'étain, ustensiles avec monogrammes ciselés, etc. Des gens qui ont un je-ne-sais-quoi d'attirant, d'indéfinissable. Je comprends l'attachement d'Eddie à ce pays.

Survolons les nuages. Le moteur de l'avion vrombit; moi, je ronronne. Je me sens heureuse, aussi gaie qu'un pinson. Je retourne chez moi. Je me répète ces mots qui font tout doux en dedans. Je fredonne : « Qu'il fait bon chez nous... » Mon cœur valse, mes yeux pétillent. Je ferais des bêtises. J'anticipe une récompense fébrilement attendue. Qu'est-ce qui me retient de me lever, de chanter à tue-tête et de danser à la Margot Fonteyn ? Autour de moi, que des gens statiques, qui ne sentent pas ma joie ! J'aimerais au moins la leur dire.

Défilent devant moi les souvenirs des deux dernières années. Tant reste à dire. D'abord, sur l'Australie, ce pays en avance sur nous dans bien des domaines : la microchirurgie, la fertilisation *in vitro*, la transplantation de la moelle épinière, les verres Torric. Des hôpitaux privés et publics. Un régime d'assurance-maladie différent du nôtre. Tous paient un montant chaque mois. Quand nous allions chez le médecin, il fallait le payer immédiatement; ensuite, à un des bureaux des services de santé, on nous remboursait 80 % de la note.

Les médecins que nous avons consultés étaient très humains, consciencieux et dévoués. Muriel qui avait subi cinq opérations à l'oreille pour un cholestéatome avait eu droit à des mois de suivi après chaque opération. Le problème revenait. Très pénible et inquiétant pour elle comme pour nous. Le chirurgien nous a expliqué qu'il pouvait régler définitivement le problème. Après l'opération, aucune récidive. Quel soulagement !

Lynda avait été hospitalisée. Peu après notre arrivée, pendant six mois, elle avait souffert d'otites à répétition. Les antibiotiques n'y faisaient rien. Pour moi, des nuits blanches à chanter pour lui faire oublier sa douleur. Au fur et à mesure, j'inventais paroles et mélodies : notre petit hit-parade. Finalement, on lui annonça qu'il fallait lui insérer des tubes dans les oreilles. Elle était excitée, contente d'aller à l'hôpital.

– C'est mon tour; moi aussi, je veux des cadeaux.

– Pourquoi ? C'est pas ta fête.

– Ça fait rien. Chaque fois que tu vas à l'hôpital, t'as des cadeaux.

– C'est parce que je suis malade.

– Moi aussi, je suis malade.

– Pas vraiment beaucoup.

– Parce que tu crois qu'ils opéreraient une petite fille comme moi si j'étais pas malade. L'hôpital, c'est pour les malades. Ça veut dire que je suis malade !

– D'accord, t'es un peu malade.

– Je t'achèterai un cadeau, moi.

– Merci, Ed.

– Moi aussi, Dada, un beau; j'irai te voir tous les jours.

– Merci, Mumu.

– Puis toi, maman, est-ce que tu vas m'en acheter un ?

– Bien oui, chérie.

Lynda eut ses cadeaux : le plus beau, le succès de l'opération.

Nous avons voyagé en Australie, pas assez à mon goût. Nous aimerions y retourner quelques mois, si jamais... Il me sera difficile d'oublier ce pays, ses paysages incomparables, ses gommiers blancs avec leurs branches et leurs feuilles dans le haut uniquement, ces feuilles à l'odeur de pastilles d'eucalyptus. Comment laisser hors de ma mémoire des arbres si différents des nôtres, tels que le *bottle-brush*, rince-bouteille, le *flame tree*, l'arbre flamme, le *wattle tree*, l'acacia jaune, le fuchsia, sans énumérer tous ces arbustes qui fleurissent à longueur d'année. Me resteront aussi le souvenir du désert hallucinant, les crépuscules dorés et ses silences qui éveillent, les silhouettes des kangourous, les oiseaux qui chaque matin me réveillaient de leurs chants mélodieux porteurs de soleil et de joie à mon âme. Jamais plus je n'entendrai sans un pincement au cœur les noms Melbourne, Mildura, Adélaïde, Ballarat, Waga-Waga et tant d'autres. Dommage qu'on ne puisse réunir en un seul le meilleur de chaque pays !

◆

Ai apprécié aussi Canberra, la capitale, que certains appellent ville sans âme, ville des monuments, qui dérobe aux moutons l'un de leurs plus beaux territoires. Pourtant, d'aucuns la trouvent unique, exceptionnelle; une ville spacieuse, bordée d'arbres, entourée de collines qui avoisinent le lac Burley Griffin. Le centre de Canberra est un immense cercle entouré d'édifices gouvernementaux, de musées, d'une librairie nationale, de la Cour suprême, d'un imposant monument aux soldats qui représente l'attraction touristique par excellence : ce monument emprunte la forme d'une église byzantine, contient des souvenirs de la guerre du Soudan à aujourd'hui, recèle un mini sous-marin japonais qui s'était faufilé dans le port de Sydney durant la Deuxième Grande Guerre. Comme dans toutes les capitales, à Canberra pullulent musées et galeries.

Ed, Muriel et Lynda étaient heureux et tristes. Une chose consolait Ed. Il n'avait jamais été grand. De la maternelle à son départ, il prenait place parmi les moins grands de sa classe. Il détestait cela. Il lui arrivait souvent de me demander :

– Est-ce que tu penses que j'vais grandir ? Quand ça ?

– Oui, oui, tu vas grandir. Tu vas tellement grandir que t'auras même jamais besoin d'un escabeau.

– Sans farce, maman ?

– Oui, oui, ça va venir, sois patient.

Il avait grandi ! De 1,69 mètre à 1,90 mètre. Il en était fier. Il n'en avait pas soufflé mot à son ami quand il lui écrivait, voulant le surprendre.

– Attends que Jacques me voie à l'aéroport. J'ai hâte de lui voir la bine quand il va m'apercevoir. J'suis même plus grand que lui.

Ses compagnons lui avaient organisé un party d'adieux. Ça avait fêté jusqu'aux petites heures du matin. Je l'entends encore au bout du fil.

– Maman, j'vais rentrer tard.

Il ne parlait pas, il criait dans l'appareil.

– Pourquoi parles-tu si fort ? On dirait que t'as un coup dans l'aile.

– Nnnnnnn... Non. Juste un peu. J'ai bu de l'Ouzo. J't'expliquerai plus tard, t'inquiète pas, maman, j'fais attention. J'en prendrai pas trop. Bye, j't'aime.

Il avait hurlé les derniers mots. C'était drôle de l'entendre. Bientôt dix-huit ans. Il avait rarement bu. Nous buvons peu. Je crains la boisson autant que le diable l'eau bénite. Plus tard, il les avait reçus à la maison. Tous ses copains de l'imprimerie étaient venus, même son patron. Je l'avais aidé à préparer la viande pour le barbecue; il avait fait le reste. Une soirée qu'il n'était pas prêt d'oublier.

Muriel avait eu son slumber party : c'était *in* chez les jeunes filles. Elles et ses amies avaient soupé à la maison, puis étaient allées se promener. Une heure au plus, elles étaient revenues s'installer dans sa chambre avec leur sac de couchage; elles avaient enfilé leur pyjama, installé une veilleuse et écouté la musique en se racontant des histoires épeurantes. Elles n'étaient reparties qu'après le déjeuner du lendemain. Muriel avait reçu de nombreux cadeaux; toutes ses amies promettaient de correspondre.

Lors d'un brunch, les amies de Lynda lui avaient remis de beaux présents. Lynda, notre rayon de soleil, toujours de bonne humeur, une vraie pie, se levait heureuse et se couchait de même. Une bonne nature. Elle appréciait les moindres attentions – elle n'a pas changé. Pour elle, les personnes passent avant les biens. Contente, elle aussi, de partir en voyage.

L'Asie

Ma joie de partir surmonte sans doute ma peur de voler, car l'avion me semble plus sécuritaire. L'appareil amorce sa descente.

Singapour ! Un continent inconnu ! Chaleur et humidité suffocantes. Muriel se plaint.

– Un vrai sauna. Le linge me colle à la peau.

– Et mes cheveux sont moites. Il faisait chaud en Australie, mais ici !

Dépaysement total. Chinois, Malaysiens, Indiens. Tout éveille la curiosité. Se promener, une aventure fascinante. J'aimerais aller partout.

– Ed, ramasse ta gomme; puis vite, même l'emballage.

– Pourquoi, papa ? Est-ce qu'ils vont le mettre en prison ?

– Non, Lynda, mais il devra payer 250 $ d'amende; pas le droit de fumer dans la rue ni de traverser en diagonale.

– Ils y vont pas de main morte. C'est bon à savoir, papa. Y a-ti d'autres lois qu'on devrait connaître ? J'ai pas envie de finir en chop suey !

– Oui, obéir à tes parents, surtout à ta mère, pas agacer tes sœurs...

– J'l'aime ce pays, maman.

– Mumu, j'espère que tu crois pas ça.

Marchons au hasard. Une école attire notre attention. Des jeunes filles arrivent en Mercedes, en Volvo, ou en limousine avec chauffeur.

– Check ça, papa ! On peut peut-être pas mâcher d'la gomme, mais y a des enfants bien traités.

– Il y en a encore plus qui meurent de faim.

Le pays compte beaucoup de gratte-ciel, filières dans le ciel, pour loger les employés. En écrivant ceci, je pense curieusement à Michel Chartrand. Il me semble le voir essayer d'organiser des syndicats en Asie.

– Le port est très achalandé. Allons faire une petite croisière.

Eddie loue un ramassis de planches qui a l'air d'un bateau. Peut-être qu'il y a très longtemps, ç'a été un bateau ! Ra, ra, rapiécé, tenu en place avec des fils de fer, il fonctionne, comme disait ma mère, « avec la grâce de Dieu ». Comme pare-soleil, un baldaquin fait de sacs à ordures, de morceaux de plastique et de ciré aux couleurs variées.

– Allô, croisière ! Tu perds tes facultés en Asie, papa.

Le put-put du moteur indique tout de suite que le cœur de l'engin a subi plusieurs pontages. Ce bruit me rappelle le tchou-tchou du train qui allait de Bathurst à Tracadie et que, par dérision, on avait affublé du nom de Caraquet Flyer. Jamais au-dessus de la vitesse du son !

Le port de Singapour est impressionnant. D'énormes cargos y entrent chaque jour. Muriel est inquiète.

– Papa, penses-tu qu'on soit en sécurité ?

– Bien oui, Mumu, regarde, on est entourés de bateaux. On peut pas être mieux. Tu vois pas, il a attaché tous les bouts de bois qu'il a pu trouver.

Ed ne rate pas une occasion. Notre capitaine, petit homme sec à la peau burinée, sourit de toutes ses dents, du moins de celles qui lui restent.

– Il a l'air gentil, le monsieur, hein papa ? Il rit.

– Ah oui, Lynda, il est gentil; il rit depuis qu'on a quitté le quai.

– Il rit de nous autres, mais surtout de toi et Muriel parce qu'à Singapour, on rit seulement des filles.

– Veux-tu bien te taire, Ed. Il est content, il ne rit pas de nous.

Je n'en suis pas certaine, mais si ça peut le rendre heureux.

– J'ai l'estomac dans les talons.

– Ed, marche dessus; ça te fera du bien.

Muriel est contente de sa répartie. Elle et Lynda s'amusent.

Un temple, le Sri Mariamman, impressionne les enfants.

– C'est drôle, décorer une église avec des vaches.

– Pour nous, oui; pour eux, c'est normal. On décore nos églises.

– Avec des anges ! Une chance qu'ils ont pas mis des cochons.

Lynda est déroutée. Ed et Muriel la trouvent drôle.

Les odeurs nous assaillent. Bien longtemps avant de voir, on sent.

– Ça sent pas très bon, maman.

Muriel qui a le nez fin se le pince. Partout, des vendeurs de nourriture : un petit feu de brindilles sous un wok, l'apparence d'un wok. On y dépose un mélange de légumes et de je-ne-sais-quoi. D'un wok à l'autre, même senteur. Cette nourriture est servie dans une petite assiette, plutôt que dans une soucoupe. Dans une petite cuve, de l'eau aux vertus douteuses attend l'assiette pour le rinçage. La même soucoupe passe au suivant et hop, on bouffe.

– Maman, t'as vu le lave-vaisselle dernier modèle ?

– Ouash ! J'mange pas ici, certain. (Lynda)

En dépit de ma ferme détermination de goûter à la nourriture locale, mon estomac refuse. Eddie essaie de me convaincre.

– C'est peut-être du chat ou du chien qui répand cette odeur délicate et parfumée. Hum ! C'est cette saveur que je cherchais.

– Ed, si tu continues, j'te tords le cou !

Il se prend le cou à deux mains en se lamentant.

– Je refuse d'en prendre une bouchée; j'aime trop la vie. (Ed)

– Aïe, Ed, niaise pas ! Pas des pauvres ti-chiens ni des ti-chats !

– En avez-vous vu des chiens ou des chats depuis qu'on est arrivés ici ? Non, on en a pas vu ! Alors, j'sais pas; pensez ce qu'vous voulez.

Eddie lui jette un coup d'œil appuyé. Ed a une ride taquine au coin de l'œil. Je ne suis pas certaine qu'il ait tort. Malgré tout ce que j'ai lu sur l'hygiène de ces kiosques, je ne toucherais pas à cette nourriture pour « une terre en bois deboute » aurait dit mon beau-frère Roland.

La plupart des petits commerces se limitent à des boîtes de carton de bric-à-brac sur un petit coin de trottoir et le tour est joué. Une PME vient d'être créée. De vieilles dames sans âge ni dents, la misère écrite dans le front, s'évertuent à convaincre les passants d'acheter leurs produits. On voit bien qu'ici la retraite ne vient pas avec l'âge.

Durant la soirée, de gros édifices en construction attirent notre attention. Ils ne sont pas murés mais semblent habités.

– Qu'est-ce qu'ils font là ? Ils vivent pas là ?

– Des milliers de familles n'ont ni maisons ni logements; ce sont des squatters; ils vivent dans ces édifices, couchent sur le béton.

Ed et Muriel sont silencieux; Lynda, consternée.

– Pas de lit ? Tout l'monde doit avoir un lit !

– Mais, ils en ont pas... Ils font la cuisine sur un petit feu de brindilles et décampent avant l'aube sans laisser la moindre trace.

– La salle de bains ? Pas de toilettes ? Ils sont pas chanceux !

J'ai mal de les voir; les enfants aussi. Dur réveil pour nous tous. Même Ed reste à court de mots. Un voyage qui nous ouvre les yeux.

Un bref séjour en Malaisie allège l'atmosphère. Au Palais du Sultan, le chauffeur nous explique que le Sultan a près de quatre-vingts ans, qu'il a une cinquième épouse, une Américaine dans la vingtaine. « Il est peut-être vieux, mais pas fou. » ajoute Ed.

– Lui, non, mais elle, pas bien fine.

– C'est vrai, Mumu, un vieux de même, quatre-vingts ans, puis sa femme, vingt ? J'aimerais pas ça, papa, que tu sois vieux comme lui.

– T'inquiètes pas, Lynda, ça m'arrivera pas. Puis à ta mère non plus même si elle est plus vieille que moi.

– Trois semaines, ça n'vaut pas la peine d'en parler.

Un tour de la ville en tekxi et nous retournons au terminus. On scrute nos passeports à la loupe, ceux des autres aussi, mais on s'attarde aux nôtres. Longue attente. Je m'inquiète. Eddie ne montre aucune émotion.

– Nos passeports sont en règle, on a pas à s'en faire.

– Ils veulent peut-être de l'argent.

– Ils vont frapper un nœud; ils auront pas une cenne. Non, ils recherchent quelqu'un et ce quelqu'un est pas l'un de nous.

N'empêche qu'ils nous regardent et baragouinent entre eux. Après plus d'une heure, on nous remet nos passeports; nous franchissons la frontière.

Au retour à Singapour, un homme nous offre un tour dans un rickshaw, un pousse-pousse, sorte de petit chariot à deux roues tiré par un humain. Je refuse catégoriquement. Pas question de me laisser véhiculer par une machine humaine ! C'est contre mes principes. Les enfants veulent y aller.

– Ce sont des humains pas des chevaux. La vie est un enfer pour la majorité de ces tireurs de rickshaw. Mal nourris, empoisonnés par le monoxyde de carbone, poussés et parfois presque écrasés par les autos, les camions ou les autobus.

– On veut pas y aller, on peut marcher.

– Il fait trop chaud. On perdrait connaissance. On va trouver un taxi. Le tireur insiste, c'est son gagne-pain. Il est le meilleur tireur de pousse-pousse de la ville. Il exhibe un calepin rempli de noms et d'adresses de clients satisfaits. On lui offre de l'argent. Insulté, il refuse. Il ne veut pas la charité. Il allonge ses jambes, montre ses mollets. J'ai l'impression d'être à côté de mon père quand il choisissait un cheval. Il insiste tellement que nous prenons deux rickshaws, et en avant la voiture humaine ! Je suis contente d'arriver à destination. Il nous remercie à profusion. Un peu de froid dans mon cœur. Ed et Muriel le regardent s'éloigner; les quitte aussi une partie de leur innocence.

Le soir venu, les enfants s'installent devant la télévision. Eddie veut sortir, mais eux n'y tiennent pas. Ed servira encore de chaperon. Eddie et moi décidons de visiter la rue Boogie. Une rue tout à fait particulière ou plutôt un bout de rue, genre terrasse, couverte avec la même sorte de toiture que le fameux bateau. Le soir, des travestis se mêlent aux touristes. Pour avoir droit de s'asseoir, il faut commander une boisson. Eddie demande deux bières : douze dollars. Il pense avoir mal compris, indique qu'il n'en veut pas une caisse, mais seulement deux. Toujours douze dollars ! À ce prix, elle va durer longtemps. Environ une heure plus tard arrivent des dames qui sont des hommes. Qu'elles sont belles ! Chaque kilo au bon endroit. Elles ondulent d'une table à l'autre. Impossible de voir si elles n'ont pas un peu de barbe, quelques poils. Le visage aussi lisse que celui d'un bébé, mais là s'arrête la ressemblance. Elles se déhanchent dans des robes moulantes aux décolletés très plongeants. Vers vingt-trois heures trente, l'une d'elles flotte vers Eddie roucoulante.

– Eddie, j'vais avoir une attaque de rire.

– J'te l'conseille pas, tu pourrais recevoir un bon coup. Il y a des muscles sous ces robes en paillettes.

Mon rire reste figé. Elle demande à Eddie s'il veut aller la voir danser à son hôtel, seulement cinquante dollars la demi-heure.

– C'est pas cher. Vas-y chéri, tu lui as tombé dans l'œil.

Il m'envoie un coup de pied sous la table. L'air d'approuver, je souris. Il doit insister pour faire comprendre son refus.

– Notre avion part dans deux heures, n'est-ce pas, chérie ?

– Non, non, il part juste demain matin.

Je sens qu'il a envie de me tuer. Je jubile. La dame nous regarde. Ça devient sérieux. J'ai fait une erreur. Je regarde ma montre, me lève en disant : « Viens, chéri, il faut y aller. »

Nous partons. Je lâche mon fou. Il se retient. Le rire l'emporte finalement.

Singapour, la Mecque des magasineurs surtout pour les appareils électriques et électroniques : réveille-matin, séchoirs à cheveux, articles de cuisine et une foule d'autres.

– Pourquoi le portier a-t-il un fusil, papa ? Est-ce qu'il va nous tuer ?

– Une mitraillette, Dada ! On est aux Philippines, puis t'es mieux de faire tout c'que je te demande.

– Non, chérie, écoute pas ton frère. C'est juste pour les méchants.

Ed ajoute en sourdine, en regardant au loin.

– Ou pour les papas qui voudraient.

– Vas-tu finir par te taire. Muriel est pas rassurée. Il sourit.

– Ici, ils sourient même en tirant. On est pas au Québec. Ils tirent d'abord puis après, ils demandent si t'es coupable.

– T'es nono ! Comment répondre après qu'on est tiré ?

– C'est là l'astuce. (Ed)

Mon esprit vagabonde. Un pays de typhons, de montagnes et de volcans dont plus de cinquante sont en activité. Il fait 39 °C. Le parc Rizal nous attire : une douce musique de fond enregistrée, de nombreuses fontaines. Nous partageons cet oasis avec d'autres familles. Nos corps se rendent à l'hôtel, nos esprits sont carbonisés. Muriel se jette sur son lit.

– Une chance qu'on a l'air climatisé.

Le lendemain, un taxi nous amène au marché central. Le chauffeur zigzague sur l'immense avenue sans aucune raison. Il klaxonne sans arrêt, coupe devant les autos.

– Papa, il sait pas conduire, c'gerlot-là ! Il va nous tuer.

– Non, non, il veut juste t'impressionner, Mumu.

– Tracassez-vous pas. Ils conduisent tous de la même façon.

– J'trouve ça cool. J'aimerais ça conduire ici.

Une odeur inconnue, douce, écœurante, flotte dans l'air. Je regarde, n'en décèle pas la provenance. Dans les rues, la cohue : piétons, autos, taxis, jeepneys et un âne qui refuse d'avancer : il a une patte d'amochée et tire une charge trop lourde. Il s'écrase sur l'asphalte brûlant. Son maître le frappe. L'animal ne peut se relever. Habilement, Eddie nous dirige vers l'entrée du marché. Il veut éviter que les enfants voient cette pauvre bête.

– Regarde, regarde ! Des drôles d'autobus, maman.

– Ce sont des jeepneys.

Ces véhicules qui ont la forme d'une minivan possèdent des ouvertures là où il y avait autrefois des fenêtres; ils sont décorés de klaxons et de chevaux chromés de toutes formes. L'intérieur est orné de franges, de pompons et de miroirs; une image de la Vierge ou du Sacré-Cœur garde le tableau de bord.

– Excellente journée pour magasiner. On y va tous.

Le marché abonde de blouses, de robes, de nappes et serviettes rehaussées de broderies délicates, toutes plus belles les unes que les autres et offertes à des prix dérisoires. J'achète deux nappes et huit napperons chacune; quinze dollars l'ensemble. Elles suscitent encore l'envie de mes amis. Muriel regarde les blouses.

– Maman, celle-là est faite pour moi. Faut que tu me l'achètes.

– S'il te la faut ! Va falloir que tu l'achètes, maman.

Ed qui ne demande rien commente.

– Il m'en faut une aussi.

– Notre petite puce en veut une.

– Prenez votre temps. On va tous s'acheter quelque chose, même toi et moi, Ed. On va se choisir une belle barong-tagalog.

– C'est quoi, le tagalog ? Je porte pas de blouses, oubliez ça.

– Non, une barong-tagalog, c'est une chemise brodée, pour homme.

– Pas rose ou jaune !

– Pourquoi, tu serais beau en rose. T'aurais l'air d'un poufter, appellation australienne pour un homme efféminé.

Ed s'avance dangereusement vers Muriel. Eddie intervient.

– Ça va faire. Il fait beau, la vie est belle; on va s'acheter de merveilleux souvenirs. Votre mère a un pécule exclusif aux souvenirs.

– Papa, c'est quoi un pickle pour les souvenirs ?

On éclate tous de rire.

– C'est pas un pickle, mais un pécule, ma chouette.

– Des piastres, du foin. Ed la regarde découragé. Un pickle !

– Ma blouse, maman. Vite avant que quelqu'un d'autre la prenne.

Essayage, discussions, rires; on se choisit des blouses. Il y a aussi de magnifiques figurines religieuses sculptées, des santos, des articles en rotin et en bambou. De l'artisanat de qualité, mais combien encombrant !

Une forte odeur de musc persiste, s'accentue même. En approchant des étalages de fruits, j'aperçois des pyramides de mangues, presque toutes trop mûres. Voilà les coupables. J'aime les mangues; Lynda en raffole mais par cette chaleur torride, elles dégagent une forte odeur *sui generis*. L'air frais, pardon, l'air chaud extérieur est bienvenu. Plusieurs enfants sommeillent allongés sur des caisses vides ou à l'arrière de vieux camions. Des adultes dorment sur le trottoir. Nos enfants s'arrêtent, les regardent, se regardent, comprennent sans paroles. Eux d'habitude si volubiles et si taquins se taisent devant cette misère humaine si significative.

Les enfants qui viennent d'apercevoir des autos-tamponneuses se font câlins. Nous leur offrons quelques tours. J'adore ces autos qui m'ont tellement donné d'émotions. Je me souviens.

Lynda me tire vers les autos, mais des problèmes de dos m'empêchent d'y aller. Je les envie. Ils s'en donnent à cœur joie, se frappent, reculent, recommencent. Si on les laissait faire, ils y passeraient le reste du voyage. Ils en sortent en ébullition, se racontent leurs bons coups.

Pendant le repas, Eddie présente un aperçu de ce qui s'est passé aux Philippines durant la Deuxième Grande Guerre. Les Japonais ont envahi cette région en 1942 : ils y gardaient des prisonniers.

Après, on va visiter l'Intra-muros, l'ancienne ville de Manille qu'entoure une muraille de neuf mètres d'épaisseur, encore solide. C'est dans cet empire de ténèbres et d'horreurs que se sont retrouvés emprisonnés des milliers de soldats alliés. Les Japonais enfermaient certains prisonniers dans des cachots dont les plafonds étaient au-dessous du niveau de la mer. À marée haute, l'eau inondait les cachots.

– Ils noyaient les prisonniers ? Ça, c'est cruel !

Un frisson me parcourt l'échine. Les enfants ont les yeux ronds.

– J'suis contente que la guerre soit finie; j'aime pas la chicane.

Une visite à l'église Quiapo rassérène mes pensées. On y admire la statue du Christ noir, Black Nazarene, que des adorateurs promènent deux fois l'an à travers la ville. J'en achète une réplique qu'Eddie trouve affreuse.

J'admets qu'il aurait besoin de chirurgie esthétique, mais j'y reste attachée. L'église de Quiapo, un endroit où il fait bon être, une ambiance de paix, de bien-être que je n'ai jamais ressentie ailleurs. La population des Philippines est à 95 % catholique et les gens, de fervents pratiquants. Ce qui n'empêche pas certaines pratiques d'être tirées par les cheveux. Chaque année, à Pâques, plusieurs hommes se font crucifier.

– Maman, j'veux voir les souliers d'Imelda Marcos. Elle vivait ici.

– Ils te feront pas. T'es trop jeune.

– On y va, au palais Malacanong. Mais vous verrez pas sa garde-robe d'impératrice ni ses milliers de paires de chaussures.

– Alors, on y va pas, on reste avec Ed.

Il fait du charme devant un groupe de jeunes filles. Il est le point de mire de demoiselles qui lui jettent des œillades. Elles rigolent, partent et reviennent. Conquises. Muriel et Lynda le taquinent.

Après un tour des jardins du palais, une allée nous conduit à un hall d'entrée. Personne. Nous avançons et nous retrouvons dans un salon richement décoré.

– Pas mal comme salon ! J'pourrais m'habituer à vivre ici... avec une bonne, naturellement.

À peine ai-je prononcé ces mots que des gardes armés nous entourent.

– Qui êtes-vous ? Que faites-vous ici ? Qui vous a permis d'entrer ?

Je me sens rapetisser. Ma tension monte. Ce n'est pas vraiment un comité d'accueil ! Calme, Eddie les regarde, leur explique qui nous sommes, ce que nous faisons. Ils sont étonnés.

– Vous avez pas le droit d'être ici. Vous êtes dans le petit salon du Président. Sortez immédiatement ! Vite ! Vite ! Allez !

Ils courent vers la sortie. Ouf ! Certains gardiens n'étaient pas à leurs postes : je n'aimerais pas être dans leurs souliers. On nous escorte *manu militari* à l'extérieur. Muriel et Lynda accourent.

– Pourquoi ils vous arrêtent ? Ils vont vous mettre en prison ?

Eddie marche nonchalamment. Son sourire nous rassure.

– Non, non ! Ils étaient contents de nous voir; ils voulaient pas qu'on s'égare.

Sceptiques, Muriel et Ed le regardent. Pauvre Mumu. Elle ne verra pas les souliers d'Imelda ni ses robes à larges épaulettes.

– Avez-vous vu les chambres ?

– Non, mais je sais que le lit du président est un lit d'hôpital. Imelda a un grand lit à baldaquin, un piano demi-queue et un petit salon.

– C'est pas une manière de traiter un homme, ça. S'il était en Australie...

– Il aurait son même lit d'hôpital. Ils le disent pas, mais il est à moitié comateux. À la télé, il a l'air d'un petit bonhomme en bois qu'on fait danser. Il tient debout qu'à cause d'un bâton planté dans son dos.

La tournée des pays asiatiques se poursuit au Japon. Juste à entendre prononcer ce nom, on frôle l'irréel. « Le Japon, explique Eddie, a une histoire vieille de plus de deux mille cinq cents ans. » Il pense tout haut; les enfants s'immobilisent, veulent savoir.

– Oui, pensez-y, le Canada a même pas cinq cents ans, pas cinq siècles et le Japon en a un peu plus de vingt-cinq. Il a une histoire, des traditions, du vécu !

– Il doit y avoir beaucoup de vieux là ? (Mumu)

– Oui, Lynda, comme... (Ed)

Ed nous regarde. Muriel pouffe. Eddie continue.

– La culture japonaise est unique; elle semble avoir peu changé depuis des siècles. Ces gens passionnés, à l'air impénétrables, cachent, paraît-il, leurs émotions pour pas mettre les autres mal à l'aise.

Oui, le Japon, un pays merveilleux, un pays de contrastes fascinants, d'édifices modernes, de pagodes et de dragons, un pays aux maisons petites, aux minuscules jardins exquis, aux gens intéressants.

– Wow ! Let's go.

Les hôtesses s'affairent. Une soixantaine de Japonais, tous montés à bord avec des sacs d'alcool hors taxes. Ils se rincent la luette à grandes rasades de boisson forte et pure; ça les met de bonne humeur ! Ils nous en offrent avec grâce. Nous refusons. J'ai le cœur en émoi.

Pauvre papa et maman si « suspects de ces races de monde », s'ils me voyaient en route vers le pays du soleil levant ! Pour mes parents, Asiatiques et Martiens, du pareil au même. Plus on s'en tient loin, mieux on s'en trouve. Ma mère le disait, elle : « On sait jamais ce que du monde de même peut faire : ça rit pas, ce monde-là. »

Me reviennent aussi en mémoire quelques séquences du film *Shogun* qui donnaient un aperçu de la culture et de la pensée japonaises. Déjà, ce pays m'attirait, m'intriguait, me fascinait.

Tokyo. Kyoto. Osaka. Eddie n'a pu retenir de chambres à Kyoto. Durant les six derniers mois, il avait en vain essayé. On a décidé d'y aller quand même.

– Voyons, Edna, ils nous laisseront pas coucher dehors. Vois-tu ça, des touristes canadiens forcés de coucher dans la rue ? Fie-toi à moi !

Tokyo est à nos pieds. Un confortable 24 °C. Premier contact avec la réalité japonaise : des taxis mur à mur, à perte de vue; des rues bondées de taxis. Gros contraste avec Manille, les chauffeurs sont prudents.

L'hôtel est propre. Une chambre à seulement trois lits simples. Muriel et moi, Eddie et Lynda, Ed seul. À notre disposition, kimonos, pantoufles et brosses à dents. Ed et Muriel se pavanent en kimono et Lynda tente de les imiter. Un peu court, le kimono d'Ed; celui de Lynda, un peu long ! Nos grands explorateurs fouillent et regardent partout.

Minuit. Les enfants tombent de sommeil. Eddie ne s'endort pas; allons marcher dans le quartier Ginza. Ça bouge. De l'action à plein ! Quelques geishas. Incroyablement belles, élégantes. J'envie leur beauté, leur grâce.

– Observe bien. Elles ont une couche de peinture blanche sur le visage. Il y a plus de peau, c'est un masque. Tiens, c'est comme si on réparait une auto avec de la fibre de verre. T'es bien plus belle ! Je préfère les Acadiennes et les Québécoises. Les geishas, c'est un monde à part.

Je ne me lasse pas de les admirer. Tout n'est que grâce et harmonie. Peu de femmes « ordinaires » circulent. Les geishas se hâtent de rejoindre leurs escortes, des hommes d'affaires ou des touristes influents. Plusieurs hommes que nous croisons sont plutôt pompettes. Des limousines déposent leurs clients à la porte des restaurants chic. J'allonge le cou pour mieux voir à l'intérieur. J'aimerais bien entrer, mais il est tard et les prix exorbitants.

Le matin, nous faisons du lèche-vitrine. Les étalages nous attirent, surtout ceux des restaurants. De petits carrés de riz enveloppé dans des algues et décorés de crevettes et d'épices, entourés de petites fleurs délicates, bien rangés dans des boîtes en bois. Tout est en plastique mais tellement réel qu'on est tenté d'y goûter. Une cheville me fait mal. J'ai besoin d'une bande élastique. Je prends un air douloureux et boitille un peu en montrant ma cheville : on me comprend. J'avais l'air d'un mime, mais Marcel Marceau n'a rien à craindre. Au magasin Sogo, un restaurant sert de la nourriture délicieuse. Pas besoin de savoir parler la langue. Chaque mets est numéroté; suffit de montrer le numéro.

Muriel et Lynda se débrouillent avec les baguettes, mais Eddie, Ed et moi demandons des fourchettes.

– On est bien, c'est bon. La vie est belle, hein, papa ?

Muriel se moque gentiment de son père. Ed suit.

– Maman, tu fais confiance à ce gars-là ? T'en as du mérite.

– Ou de la chance ! Regardez où vous êtes ? Grâce à qui ?

– J'pense comme papa. Quand j'vas être grande, j'vas l'marier.

– Pas moi, il me dirait encore quoi faire. J'vas marier un gars qui a de l'argent, une grande maison; j'vas avoir une bonne, une piscine. Attendez !

– Good, vas-y Mumu ! On ira s'baigner chez vous.

C'est vrai qu'Eddie se donne beaucoup de peine pour rendre le voyage agréable et intéressant; les enfants le savent.

Au parc Hibiya, des groupes d'enfants et leurs professeurs ont installé leurs chevalets; ils peignent. Muriel et Lynda s'approchent. Les enfants leur sourient. On peut dire que le populaire train onze est encore la meilleure façon d'apprécier un endroit : on croise les gens, on les regarde aller et vaquer à leurs occupations. J'ai l'impression d'être perdue, mais pas pressée de me retrouver. Je n'ai même pas peur.

Devant nous, une vraie carte postale : le Palais impérial et ses pavillons. Très élevés, quasi inaccessibles, ceints de murailles de pierres et d'un profond fossé de protection. Entrée interdite. Lynda est intriguée.

– Le roi et la reine ont-ils des enfants ?

– Oui, Dada ! Et, s'ils sont tannants, ils les envoient jouer dehors !

– Ils peuvent pas faire ça; les enfants tomberaient dans le vide.

– Écoute-le pas. Il y a une cour de l'autre côté. C'est juste les garçons qu'ils jettent dans le vide.

Muriel rit de bon cœur. Lynda qui adore Ed veut le défendre.

– Non, maman, c'est pas vrai ? Ils font pas ça.

On la rassure. Partout, des terrains bien entretenus, comme manucurés. Les branches un peu trop fragiles des arbres centenaires sont bandées et même supportées. Muriel n'en croit pas ses yeux.

– Ils mettent même des band-aids aux arbres. Ça doit en prendre des grosses boîtes.

Nous dénichons un petit restaurant aux tables basses. Ed, qui essaie de s'asseoir, contorsionne son mètre quatre-vingt-dix sur une chaise. Les serveuses rigolent. Ça ne passe pas inaperçu. Tous affamés. La marche creuse l'appétit et le repas, notre porte-monnaie.

Nous commençons par une soupe suivie de poisson cru puis un mets de poisson, de poulet avec légumes frits, grillés ou à la vapeur. À cela s'ajoutent du riz et des pickles. Le dessert, des fruits frais accompagnés d'un thé vert. Très simple, mais la préparation et la présentation en font une expérience culinaire digne de Chez Maxime. Ambiance calme, éclairage approprié, serveuses attentives. Des plats apprêtés et servis avec cœur et âme. Des produits frais – pousses de bambou, racines de lotus, gingembre, persil et bien d'autres ingrédients – qui donnent aux mets un goût sublime qu'enjolive la présentation. Du piment vert sur un mets orangé, un plat rond pour un mets rectangulaire, une petite feuille ici, là une fleur; on hésite presque à toucher à ce tableau exquis, délicat et savoureux !

Eddie trouve un bureau d'information touristique. Ça urge. Demain Kyoto et nous n'avons pas de gîte. Les employés sont polis, mais que faire ? Congrès d'ophtalmologistes et autre congrès de « istes » : complet partout. Eddie ne se laisse pas impressionner. Ça prend une chambre. Une heure plus tard, le New Tokyu Inn nous attend.

– Tu vois, je te l'avais dit. Ils nous en ont trouvé une.

– Faut pas que tu t'inquiètes, maman. (Muriel)

Pour aller de Tokyo à Kyoto, Eddie avait choisi le Bullet Train, qui file à deux cents deux cent cinquante kilomètres-heure. Vraiment immense, la gare de Tokyo ! Un labyrinthe de corridors et d'escaliers envahis d'une cacophonie abasourdissante. Eddie achète les billets. Un guide accourt, s'offre à nous conduire à notre wagon. Il le faut. Nous ne savons où aller et ne comprenons pas les directives. Voyant que nous avons cinq grosses valises et un ou deux sacs chacun, il appelle un autre guide. Ils s'emparent de quatre grosses valises et nous filons à leur suite.

Musclés et rapides, les guides marchent, courent presque. Avons peine à suivre. Eddie et Ed qui les talonnent avec les autres valises nous crient de courir. On a tous l'impression qu'ils veulent s'enfuir avec nos valises. Eddie n'a pas l'intention de les laisser faire. Nous longeons des corridors, montons et descendons des escaliers, sommes perdus. Dix minutes de course folle, interminable. Puis, triomphants, les guides déposent nos valises devant la porte de notre wagon.

– Best place, best place, Fujiyama, good, good.

Notre guide explique fièrement qu'il nous a choisi le meilleur wagon, que nous aurons une belle vue du mont Fujiyama. Hébétés, soulagés, nous tombons dans nos sièges.

– Papa, j'avais peine à les suivre. Penses-tu qu'ils voulaient partir avec nos valises. Ils étaient difficiles à suivre.

– Peut-être pas ! Je comptais sur tes grandes jambes, Ed, et je suis en forme. On les aurait pas lâchés. On les auraient rattrapés !

Nous n'avons aucune idée si nous sommes dans le bon wagon ni si nous allons à Kyoto; le plus surprenant est que je m'en fous royalement. Nous allons quelque part et où que nous allions, nous ne serons pas seuls. Le train est bondé.

– C'est drôle, le train va vite et ça paraît pas. Papa, es-tu certain qu'il va a plus de deux cents à l'heure ?

– Pas quand il ralentit, Ed, mais quand il file pendant un bon bout de temps, il atteint sa vitesse de croisière; ça va vite.

Un paysage inconnu défile sous nos yeux. Des gens, surtout des femmes, peinent dans des rizières, des hommes travaillent la terre. Malgré la vitesse, on voit des maisons des paysans japonais, une autre facette de leur vie. Nos enfants sont fascinés tellement c'est différent du Québec.

– Ce sont des gens comme nous, ils travaillent, ont des enfants.

– Sauf... qu'ils ont des rizières. Elles sont rares au Québec.

– Puis à la Rivière... Peut-être dans ton petit ruisseau, maman ?

– Ed, fais-moi plaisir, va prendre une marche, une longue marche.

– Tu me fais encore d'la peine, maman, j'disais juste ça de même.

« Fujiyama ! Fujiyama ! » indique notre voisin. Voyant le sommet du mont Fuji dont la pointe atteint 3 776 mètres, Eddie et moi, en même temps, nous exclamons : « Notre peinture ! » Oui, ce mont que les Japonais vénèrent a été peint des milliers de fois. Heureuse de l'avoir aperçu de ce train fantôme, je souhaite pouvoir l'admirer de plus près.

Kyoto ! Kyoto ! Le nom résonne dans le train. Nous y sommes. Le guide ne nous avait pas trompés. Eddie hèle un taxi et lui donne le nom de l'hôtel que, par précaution, il avait écrit sur un bout de papier. Vingt heures trente. Notre taxi roule dans la nuit noire, n'ai aucune idée de l'endroit où nous sommes. J'espère... Nous traversons la ville et des boulevards, croisons une autoroute. Espoir d'arriver à New Tokyu Inn. Peut-être que c'est une petite auberge perdue dans les montagnes ! Eddie, comme d'habitude, confiant; les enfants aussi. Je reste neutre. À la sortie d'une croisée, un bel hôtel apparaît, au moins douze étages.

– Tu vois, Edna, c'est encore mieux sans réservation.

L'hôtel est bondé. Des centaines de médecins dont plusieurs Français. Nous nous installons. Que d'émotions pour moi cette randonnée dans la nuit noire en pays lointain ! Je dois toujours refréner mes pensées, mes émotions, ma fertile imagination. Un médecin remet une rose à Lynda qui en est enchantée. Notre chambre, grande et confortable. Le repas, fort cher. Les Yukatak ou kimonos et pantoufles sont à notre disposition.

– Papa, pourquoi on est venus à Tioto ? (Éclat de rire d'Ed et de Muriel)

– Cré, Dada ! Pas Tioto, K y o t o !

– C'est la plus intéressante ville du Japon, seize mille temples. Elle a été la capitale du Japon pendant plus de mille ans. Il y a plein de monuments historiques, des centaines de lieux de pèlerinage, des sites pittoresques.

– Modère, modère. On est pas ici pour l'éternité.

– Ed, j'y passerais volontiers plusieurs semaines...

Au New Tokyu Inn, loin du centre-ville, j'ai l'impression d'être vraiment au Japon, le Japon féodal des Shoguns. Le lendemain matin, sitôt après le déjeuner, une navette nous conduit à la gare. Un sentiment inhabituel nous étreint : NOUS sommes la minorité visible. Dépaysement total. Quelle expérience nous vivons grâce à Eddie ! Kyoto est une ville bouddhiste où le shintoïsme compte un certain nombre d'adeptes.

– Premier arrêt. Le temple Higashi-Honganzi. Déchaussez-vous.

– Papa, t'as pas l'intention qu'on passe la journée pieds nus ?

La beauté me ravit. Sérénité du temple. De larges portes coulissantes décorées de portraits d'oiseaux et finement détaillées séparent de grandes salles.

– Chut ! Ici, les Shoguns, les seigneurs de la guerre, discutaient stratégies. Regardez-les. Ils sont là avec leurs costumes d'apparat.

– On les croirait vivants, mais c'est seulement de la cire.

Très imposant ! Impressionnant même ! Un bouddha trône dans chacune des salles ornées de bois sculpté. Des centaines de moines célèbrent des offices religieux. Des tapis tressés, lisses et propres qu'on appelle tatamis recouvrent les planchers.

Plantés droit, plutôt cassants et aboyant les directives, les gardiens qui ont l'air d'avoir avalé un fusil nous paraissent en parfaite symbiose avec l'environnement. À Kyoto seulement, ils accueillent ainsi chaque année plus de quarante mille touristes étrangers. De sa grandeur, Ed les observe. Pas très grands, ils lui passeraient facilement sous le bras. Il ne les impressionne pas. On quitte le temple.

Ouf ! On respire mieux à l'extérieur. Une boutique m'attire comme un aimant. Tant de belles choses !

– As-tu des menottes, Eddie ? C'est trop tentant.

– Papa, fais un homme de toi ! Attache maman, puis vite, sinon on est finis. Elle va te ruiner. Va falloir que j'aille quêter pour tout vous autres.

Eddie rit de bon cœur et donne une pichenette à Ed. Eddie lui répond qu'il va l'envoyer quêter même si je n'achète rien. Irrésistible, ce service à thé en porcelaine décorée de fils d'or et aux tasses minuscules. En regardant à l'intérieur, en pleine lumière, on peut distinguer une tête de geisha. Je l'ai acheté, le service, non la geisha. Je m'en sers à l'occasion. Il est très apprécié. Ed jette son dévolu sur deux magnifiques sabres avec étuis et montés sur un support laqué.

◆

Muriel et Lynda observent des artisans au travail. Une dizaine d'entre eux, dont plusieurs d'un âge vénérable, manient avec dextérité outils et fils d'or. L'un demande à Muriel d'écrire son nom sur un bout de papier. Muni d'un petit marteau et d'un fil d'or, en un instant, il écrit « Muriel » sur une petite plaque. Ravie, la grande ! Des yeux, Lynda implore maintenant l'artisan. Il lui tend un papier; elle écrit; il récrit d'or. À notre retour, ces plaques souvenirs, Eddie les a fixées à des chaînes que portent encore Muriel et Lynda. Penché bien bas, le joaillier remercie maintes fois Eddie.

Assurément, ce pays me séduit, assaillie de toute part par la beauté. Un jardin de petits cailloux d'une symétrie parfaite attire notre attention. Les Japonais consacrent des centaines d'heures à ratisser, à disposer chaque caillou à un endroit précis. Les rangées se succèdent bien alignées tel un champ fraîchement retourné. Pas certaine du tout que mon père qui a toujours considéré les cailloux une nuisance comprendrait. Jamais il ne pourrait croire qu'on puisse passer des heures à ratisser différemment chaque jour de petits cailloux. Je lui en ai parlé, lui ai montré des photos. Il a secoué la tête, regardé ma mère et dit : « Pauvre monde, sont pas toute là; s'amuser avec des roches. » Et ma mère de compléter : « Pas de leur faute; c'est pas des catholiques, c'est des païens. Ça fait pitié, ça fait pitié. » Ma mère et mon père se comprenaient. Pour eux, le jardin de roches avait scellé le sort des Japonais.

À dix-huit heures, fourbus d'avoir avalé kilomètre après kilomètre, mes pieds n'avançaient plus. Prévenant, Eddie se met à chercher un taxi. À peine a-t-il commencé à regarder que je pars à la course.

– Je te pensais fatiguée ?

– Laisse faire, il faut que je voie ça. Venez !

Je ne ralentis même pas. Les autres suivent. Je cours telle une possédée. J'avais bien vu : une procession. À l'avant, un jeune homme porte un bouddha placé dans une cage en bambou; le suivent de jeunes garçons qui agitent des clochettes. Au centre, sur une monture majestueuse, avance un shogun drapé d'un costume d'époque. Le regard impénétrable, il se tient droit, ne fait qu'un avec sa monture. Médusés et incrédules, nous l'examinons. Pas le moindre regard vers nous. Suis certaine qu'il nous voit. Les gens reculent, le laissent passer. La rue lui appartient. Il avance, fier, issu d'une époque révolue. Dans le taxi qui nous ramène à l'hôtel, nous sommes encore sous le choc et le charme culturels.

– Maman, une chance que t'avais sorti ta vitesse de marathon. T'aurais dû te voir courir : tes talons claquaient sur le trottoir. Une chance que t'étais fatiguée.

– Elle courait aussi vite que lorsqu'elle a gagné la course en Australie. C'est vrai que cette fois-là, elle avait triché.

– C'est faux. J'ai jamais triché, jamais.

Eddie ressortait encore cette histoire. En Australie, durant un pique-nique, on avait demandé aux femmes de plus de quarante ans de participer à une course. Juste pour rire, j'avais accepté. Je ne pratique jamais la course, mais je cours parfois pour le plaisir. Nous étions trois femmes. J'étais la troisième. La première, qui avait mal à un pied, dut s'arrêter à mi-chemin. Cinq mètres à peine avant la fin, la seconde glissa. À moi seule le fil d'arrivée ! Les enfants criaient, m'entouraient. Eddie me lança.

– Bravo, t'as gagné, même si t'as triché.

– Eddie, j'ai pas triché.

– Je t'ai vue, t'as allongé la jambe et tu l'as fait tomber.

– Eddie ! J'ai jamais fait ça, voyons.

Il insistait, il avait du plaisir. Rien à faire ! Il a continué de m'accuser.

– Maman, je t'aime même si t'as triché.

– Chérie, j'ai pas triché, c'est ton père qui niaise. Il me taquine.

J'ai eu beau faire, Eddie a continué de plus belle. Je lui flanquerais une volée avec plaisir, si j'étais plus forte.

Quelques jours plus tard, nous prenons l'autobus vers Osaka. Le temps nous manque, il file comme sable entre les doigts.

Hong Kong. D'en haut, la vue est spectaculaire. La descente vers l'aéroport Kai Tak, à vous couper le souffle. Les ailes de l'avion frôlent les parois de la montagne. La descente dans ce tunnel aérien procure des sensations dignes des montagnes russes. Un aéroport qui, à l'atterrissage, procure le plus de sensations. Disposée au bord de l'eau, la piste donne l'impression d'atterrir dans l'eau au milieu de gratte-ciel qui n'ont rien à envier à ceux de Manhattan.

– Mais c'est rien que des gratte-ciel. C'est pire que New York.

– Hong Kong est électrisant. On va pas s'y ennuyer. On peut marchander jour et nuit, vingt-quatre heures sur vingt-quatre.

– C'est aussi le paradis des montres, des horloges, des jouets et de toutes sortes d'appareils électroniques.

– On va magasiner. Papa, prends pas ta retraite tout de suite.

Le trajet de l'aéroport à l'hôtel offre une vision multicolore. Sur chaque balcon des innombrables gratte-ciel où logent 80 % de la population, on aperçoit des milliers de cordes à linge, faites de très longues tiges en bambou, perpendiculaires aux balcons.

– C'est pas mal bigarré. Maman, on voit tout ce qu'ils portent.

Blouses, pantalons, caleçons, fringues, serviettes et vêtements de toutes formes et de toutes couleurs flottent allégrement au soleil.

– Il y a de la vie. Qu'est-ce qu'on visite en premier ?

– On va faire un tour au sommet du mont Victoria. D'en haut, on verra toute la ville, cinq millions de personnes. La plupart des édifices gouvernementaux et des boutiques sont installés sur différents paliers collés en flanc de montagne.

On prend le tram. Il semble fatigué; il monte lentement. À chaque palier, ses activités. On peut y jouer au tennis, faire de la natation, du patin à roulettes; on y trouve même des allées de quilles et une piste d'autos-tamponneuses.

Plusieurs gratte-ciel sont en construction. Les échafaudages sont faits de tiges de bambou entrelacées et amarrées d'une quinzaine de centimètres de diamètre et de quinze à vingt-cinq mètres de longueur. Eddie qui s'intéresse à tout ce qui touche à la construction regarde sceptique.

– Il faut que je voie ça de plus près. En bambou ! Ç'a l'air solide.

Un autobus à deux étages, sillonnant la montagne, nous ramène en bas. Nous sommes à Kowloon, le cœur de Hong Kong, l'endroit où il y a plus de personnes au kilomètre carré : plus de 72 000. Tout le monde a l'air de travailler en même temps. Une fourmilière en action, et d'une fébrilité contagieuse !

– On peut pas dire que c'est ennuyant.

– Non, Mumu ! Là, on s'en va au village flottant d'Aberdeen.

Nous y accueille une Chinoise sans âge qui se colle à nos pas et répète sans cesse : « Ride sampan ? Ride sampan ? » Comme elle ne nous lâchait pas d'une semelle et que nous voulions faire un tour en sampan, Eddie l'engagea. Nous nous sommes bientôt retrouvés au milieu de ce village flottant. Une ville entière sur l'eau; pour nous, de l'impensable !

– Maman, tu veux dire que toute la famille vit tout le temps sur l'eau ? Où est-ce que les enfants jouent ?

– Oui, Mumu, ils passent leur vie sur l'eau; Ils vont rarement sur la terre ferme. Ils pêchent, mangent, font leurs besoins sur le même bateau.

– J'pourrais jamais. Vivre quelques semaines sur un bateau de croisière, d'accord, mais passer ma vie ici, jamais.

– Le bateau est la seule maison qu'ils connaissent.

– Moi, j'aime bien mieux notre maison au Québec, ma belle chambre. (Lynda)

Notre guide manie son sampan avec dextérité. Parmi toutes ces jonques, ces sampans et ces bateaux, je suis comme une chenille sur une feuille. De mai à septembre, la mousson apporte des cyclones et des ouragans. Un peu masochiste, je veux tout savoir, ne rien omettre même si j'ai peur. Si j'étais neurochirurgienne, j'essaierais d'ajuster mon système électrique, ma dendrite et mes neurones. Petite tache perdue parmi des milliers d'inconnus, je suis tout de même enchantée d'être dans ce port du bout du monde.

En débarquant du sampan, nos regards tombent sur une exposition de peintures. Deux autres à transporter jusqu'au Québec. Les rues sont encombrées. Sur le trottoir, on égorge des cochons, plume des volailles, vide des poissons. Le cœur nous lève. Ça dégoûte Muriel et Lynda.

– Jamais je voudrais rester ici. C'est dégueux ! Allons-nous-en !

Muriel se retient pour ne pas vomir. Elles veulent déguerpir de ce quartier. Nous nous retrouvons plus loin, silencieux, assis à l'ombre d'une fontaine, un petit oasis près de Connaught. Un instant où le cœur et l'âme se rejoignent dans un moment d'intime recueillement.

Les boutiques et les échoppes se côtoient. Quelle pagaille !

– Eh bien, papa, ici, t'aurais du travail pour le reste de tes jours, juste à réparer les toits.

– Des toits temporaires, de vieux morceaux de plastique, de ciré, tout est mis à contribution; rien ne se jette, rien ne se perd. Personne ne chôme. Ils font de leur mieux.

– J'trouve pas ça beau. De vieux morceaux de plastique, du ciré, des sacs à ordures, ça fait dur pas mal.

Le moindre recoin de leurs minuscules boutiques bourdonne d'activité : des gens cousent, tissent, brodent, s'affairent à des machines qui ont vu des jours meilleurs. Pour nous, les scènes les plus touchantes viennent des personnes âgées : elles transportent souvent de lourdes charges, s'éreintent à la tâche sans espoir de meilleurs lendemains. Vraiment pathétiques. Nos jeunes n'osent à peine lever les yeux.

Il nous faut tourner la page, trop tôt...

Après Japan Airlines et Cathay Pacific, c'est maintenant Thaï International qui nous conduit à notre nouvelle destination.

Thaï, un mot à consonance musicale, rappelle surtout Siam, le nom que la Thaïlande portait jusqu'en 1932. Il y a même un film, *Anna et le roi de Siam*, en anglais, *The King and I*. Une Anglaise, Anna Leonowens, se rendit à Siam en 1862, enseigner l'anglais aux enfants du roi. Quelle aventure extraordinaire et invraisemblable pour l'époque !

– C'était même avant ton temps, un p'tit peu, en 1862 ?

Ed ne peut rester silencieux. Ce livre m'avait fascinée. Je rêvais de voir ce pays. Il a bien changé, mais il m'attire encore.

– Les hôtesses sont les plus fines et les plus belles.

– T'as raison, Mumu; c'est plaisant de rencontrer des étrangers.

– Oui, ici, c'est étrange, c'est pas comme chez nous. Quand j'vas être grande, j'vas faire comme toi et papa. J'vas voyager avec mes enfants.

– Moi aussi, j'aime voir le monde pas pareil comme nous, puis les maisons, puis ce qu'il mange. Moi aussi, j'vas voyager.

Muriel et Lynda n'ont jamais si bien dit. Elles voyagent aussi souvent qu'elles le peuvent. Ed est sportif et apprécie la vie au milieu des siens.

Une folie orange nous accompagne de l'aéroport à l'hôtel. Des milliers de moines déambulent dans leurs longues robes orangées qui flottent au rythme de leurs pas.

– Pourquoi y a-t-il tant de moines ?

– Il y a vingt-sept mille temples bouddhistes.

– Ceux qui veulent prier manquent pas de temples. Comment ils font pour vivre, tous ces moines ?

– Comme les moineaux, Mumu. Tu sais, quand papa et maman parlent de la Providence ?

– Oui, c'est vrai, la Providence veille sur nous.

– Mais les moines mangent pas ce que mangent les moineaux.

Lynda trouve un peu drôle cette histoire de moines et de moineaux. Elle ajoute : « Je le sais, je le sais; les moines mangent les moineaux. » Tous rient. Lynda est fière de sa répartie. Eh oui, la population nourrit les moines, certaines familles assument même l'entière responsabilité d'un moine.

Bangkok, la capitale, ville fascinante et des gens charmants. Des femmes exquises, délicates, BELLES. Dès l'arrivée, Eddie réserve des billets pour trois excursions. En route vers le Rose Garden, un paysage nouveau défile sous nos yeux : des demeures luxueuses, des huttes recouvertes de chaume avec des planchers en terre battue.

Une amie, dont la sœur occupait un emploi de prestige en Thaïlande, m'a expliqué une facette de la hiérarchie thaïlandaise. Les bonnes ou femmes qui les servaient, ses amis et elle, ne devaient jamais être plus grandes qu'elles, même quand elles étaient assises : durant les repas, les Thaïlandaises qui les servaient devaient être accroupies de façon à ce que leurs têtes ne dépassent jamais celles des convives. De plus, quand elles s'adressaient à leurs patrons, elles devaient toujours exprimer leur infériorité. Par exemple, « Le rat demande humblement à Madame si elle désire autre chose ? » ou encore « L'idiote ose demander à Madame ce qu'elle veut manger ce soir. »

– Écœurant, se rabaisser de même. J'aurais jamais fait ça.

– Il m'semble que tu pourrais prendre cette habitude-là, Mumu.

– Quand les poules auront des dents, Ed. Jamais !

Au Rose Garden, spectacle sensationnel et fascinant. Un combat de boxe thaï tous coups permis pendant lequel on fait le pitre pour la galerie. Suit une danse thaï qui permet d'apprécier la grâce et l'élégance de ces danseuses : un enchantement pour les yeux. Une autre se danse pieds nus entre deux longues cannes de bambou disposées parallèlement sur le plancher : un faux pas et la cheville éclate en morceaux. Ensuite se succèdent une cérémonie d'ordination d'un moine, un mariage avec us et coutumes du pays. Un combat à l'épée nous fait tous rigoler : les adversaires se battent vraiment, mais en faisant des facéties dangereuses. Un combat de coqs termine le tout : beaucoup moins drôle celui-là, mais les Thaï en raffolent; ils misent sur le gagnant, crient, gesticulent, passent par toute une gamme d'émotions. Je n'aime vraiment pas, Muriel et Lynda encore moins. On sort le plus tôt possible.

Le marché flottant sur la rivière Chao Phrayanous paraît exceptionnel. De petits bateaux chargés de denrées et pagayés par des femmes coiffées de chapeaux abat-jour avancent adroitement dans les canaux.

– Pas besoin d'aller magasiner. Le magasin vient à ta maison. T'aimerais ça, maman, toi qui détestes magasiner.

– Oui, ma fille, excellente idée pour moi, mais un désastre pour les femmes qui passent leurs journées dans les magasins.

Des pagodes et des temples érigés le long de la rive défilent sous nos yeux. Toutes les maisons sont ouvertes à l'avant côté rivière. Sur chaque perron trône un petit bouddha. Un million d'habitants vivent le long de l'eau. Dense circulation. Soudain, sur une plateforme montée sur le toit d'un bateau, sifflet aux lèvres et gants blancs, un policier dirige la circulation. Autre lieu autres mœurs !

Pendant le retour, notre hôtesse nous conduit à deux boutiques de souvenirs. Que du hors de prix. Les vendeurs insistent trop : ça nous rebute. Nous allons nous asseoir dans l'autobus. L'hôtesse vient aux nouvelles. Eddie l'informe que nous avons payé pour des excursions, non pour des ventes sous pression. Bec pincé, fesses serrées et jambes rigides, elle retourne dans la boutique. Youpi doo ! Nous ne sommes pas impressionnés. Nous avons acheté une carafe, genre carafe de génie, six verres et un plateau, absolument superbe, dans une petite boutique sans prétention. Le tout est ciselé et peint à la main, une merveille.

Plus loin, Muriel et Lynda sont intriguées par les gros éléphants sculptés qui gardent chacune des entrées du Grand Palais.

– C'est pour éloigner les mauvais esprits.

– Est-ce qu'ils croient vraiment ces niaiseries-là, papa ?

– Chacun ses croyances. Nous, on a des statues, des croix, etc.

Le palais déborde de joyaux, de peintures, de jarres incrustées de nacre, de bijoux et de combien d'autres merveilles.

– J'aurais aimé ça, vivre ici. Les chambres sont si belles...

– T'aurais fini dans le harem du roi, une de ses sept cents femmes.

– Pas de danger; je serais libre, riche...

– Ça existe pas une femme libre ici. Les femmes sont des esclaves. Un merveilleux pays, hein, papa ?

Eddie se tourne vers moi, nos yeux se croisent; les miens, à demi fermés, le défient; les siens, taquins, hésitent.

– Oui, mon gars, un bien beau pays.

– Maman, tu vas pas le laisser dire une pareille bêtise.

– Justement, je gaspille pas ma salive pour une bêtise.

Les temples se succèdent tous aussi merveilleux les uns que les autres. Le Bouddha d'Or, le Bouddha Émeraude en jade translucide et le Reclining Buddha, le Bouddha allongé : un géant de cinquante mètres de longueur avec des pieds de trois mètres incrustés de dessins en nacre.

Une visite fort révélatrice au temple de Dawn, Aube. De la hauteur d'un édifice de sept étages, coloré et visible de loin, ce temple étincelle et scintille. De près, stupeur !

– Papa, il est couvert de toutes sortes de petits morceaux de bouteilles, d'assiettes et de miroirs cassés.

– Regardez ça, c'est beau de loin mais loin d'être beau.

Illusion ! Les enfants n'en croient pas leurs yeux. Surprenant, mais beau quand même. Un escalier mène au sommet : vue spectaculaire. Dans un temple, un moine à qui on a remis une offrande accepte de se faire photographier avec nous. « Un moine pratique, qui allie l'utile à l'agréable; un joli moineau ! » de dire songeurs les enfants.

Nous assistons à un souper-spectacle au restaurant flottant. Illuminé de milliers d'ampoules, c'est un autre tape-à-l'œil. Il vaut mieux ne pas regarder sous le clinquant. Nous devons laisser nos chaussures à l'extérieur. Eddie murmure à Ed : « Sont mieux de servir des mets épicés ce soir. »

– Pourquoi, papa ?

– Parce que ça va sentir le petit pied.

– Muriel et Lynda, vous êtes-vous lavé les pieds ? Ça sent drôle, puis c'est pas le parfum de ma mère.

– Ed, ça doit être tes raquettes ! Aucune épice pourra jamais enlever c'te senteur-là.

– Ça va faire. On est venu souper, vous allez me gâcher l'appétit.

Les serveurs apportent de petits bols de riz, des assiettes de poulet au curry, de crevettes, de morceaux de porc minuscules. Les assaisonnements séduisent l'odorat, mais nos estomacs auraient espéré des plats plus copieux. Suivront d'autres mets tout aussi succulents et de même abondance. Ed regarde intensément le tout. Il se penche vers Muriel, lui murmure à l'oreille « Miaou, m i a ou. » Eddie et moi avons envie de lui tordre le cou, mais avons aussi peine à ne pas éclater de rire.

– Papa, fais quelque chose, t'as entendu, j'vais le tuer, à petit feu.

Ed se prend le cou à deux mains, Eddie lui donne un coup de coude.

– Papa ! R'tiens-moi ! J'veux bien être bon garçon, mais ils sont mieux de remplir souvent ces plats. J'en ai à peine pour ma grosse dent.

– T'as raison. J'ai faim aussi. J'y verrai.

À l'avant, des musiciens assis jouent un air local. Sûr que je n'écouterais pas de ce zing, zing, zing toute une journée. Ça me tape sur la rotule.

Pendant le repas, de ravissantes danseuses dont les doigts recourbent vers l'arrière donnent, en costumes traditionnels, un impressionnant spectacle.

– Maman, comment elles font pour avoir le bout des doigts courbés ?

– Elles s'appliquent à le faire en bas âge. Regarde bien ! Leurs ongles sont recouverts de faux ongles dorés de quatre à cinq centimètres.

Il s'en dégage un saisissant effet d'ensemble, surtout qu'en dansant, elles bougent gracieusement les mains. Danses et costumes se succèdent. À leur sortie, en y mettant le prix, une photo d'elles avec les enfants.

De notre arrivée à Calcutta jusqu'à notre départ de Delhi, le choc. À l'aéroport, une bande de jeunes mendiants qui insistent nous entoure. En route, le chauffeur conduit comme un fou. Partout, le bruit assourdissant des haut-parleurs, des vendeurs, des klaxons, sans compter la chaleur accablante rehaussée d'une de ces odeurs... La rue, un égout à ciel ouvert ! Pour nous, rien de comparable aux miséreux, aux sans-abris, aux laissés-pour-compte, aux affamés, aux lépreux, aux humains affamés et aux yeux hagards, aux enfants squelettiques, et j'en passe, que nous avions déjà vus !

Le cœur en boule et l'âme en plein désarroi, nous arrivons à l'hôtel. L'entoure une clôture d'au moins deux mètres de hauteur. Les repas y étaient servis par des serveurs polis qui ne rampaient pas, mais presque. Notre première soirée, un conte des mille et une nuits. Vêtus de blanc et ceints d'une bande de tissu rouge et or, la tête entourée d'un turban blanc, rouge et or, et portant gants blancs, quatre serveurs, debout à nos côtés, à notre entière disposition, devançaient nos moindres désirs, passaient chaque plat attendant qu'on se serve.

On était figés, mal à l'aise. Pendant qu'ils lui présentaient les plats, Lynda nous regardait avec un air de « Qu'est-ce qu'on fait ? »

On avait faim. On voulait manger. Chacun de nous examinait son assiette et les plateaux garnis. Nous aurions préféré être à des milliers de kilomètres.

« Est-ce qu'ils vont rester là longtemps, plantés comme des piquets ? Ils me coupent l'appétit. » dit Muriel à qui Ed ne put s'empêcher de faire écho par un très révélateur « C'que j'donnerais pour être chez nous devant un pain et un pot de beurre de peanut ! » On a mangé boule dans la gorge et avec une constante folle envie de fuir.

L'Inde, un pays de contrastes. Musulmans, Sikhs, Indiens de toutes provenances, des riches, des *intouchables*, des impurs. Un système de castes. Eddie explique que les intouchables ont les pires jobs et les pires logements. S'ils mènent une bonne vie, ils pourront revenir dans une caste meilleure après la mort. C'est la tradition.

Calcutta, une ville en ruine, où l'on palpe une misère inqualifiable et inimaginable. Couvert de sueur et de crasse, la jambe à moitié rongée et enveloppée dans une guenille douteuse, un lépreux tendait la main.

– On aimerait retourner à l'hôtel.

Ed parlait pour nous tous. On avait la gorge serrée, mais on ne pleurait pas; nous avions les yeux pleins d'eau. Tout partout, des piétons transportent de lourdes charges. Mal nourris, mal logés, véritables esclaves, ils déambulent avec peine sous un soleil de plomb. Des familles vivent dans de gros édifices aux façades complètement arrachées, en décrépitude.

Lynda était bouleversée; nous aussi.

Plusieurs squatters, experts en vol d'électricité, habitent des bâtisses abandonnées ou en construction; ils se branchent au compteur d'une compagnie ou d'une usine.

– On peut pas les blâmer ! C'est pas voler, ça !

– Muriel, tu diras ça à Hydro-Québec. Elle sera dans les « vaps ».

Ici, les bouses de vache et de buffle servent de combustible pour faire cuire la nourriture. On les met à sécher à divers endroits. Les enfants sont consternés.

Juste devant notre taxi, un buffle fait ses besoins. Une femme aussitôt s'élance dans la rue – peu s'en fallut qu'elle ne se fît frapper par notre taxi – se jette sur l'amas fumant, prestement le ramasse en le roulant dans sa jupe et emporte ce précieux butin.

Les jeunes se regardent, nous regardent, pensent avoir mal vu. Le cœur me lève rien qu'à y penser. Ed est tout à l'envers.

Les vaches sacrées possèdent rues et trottoirs. Patiemment, les voitures attendent qu'elles passent, les piétons les contournent.

– Pire que pire. Elles sont maigres à mourir. C'est leur religion ?

– Ed, ç'a rien à voir avec la religion. C'est simple comme bonjour. Il y a longtemps, les Indiens ont craint que leurs troupeaux de bœufs ne soient sacrifiés pour nourrir toute la population. Alors, ils ont sacralisé la vache. Voilà !

– En plein c'que j'pensais; sont capotés.

– Nous aussi avons nos coutumes bizarres. Il faut respecter leurs croyances, surtout pas les juger.

Les mendiants quémandeurs surgissent de partout. À l'entrée du temple, une très vieille dame, maigre comme un clou, branlant sur ses jambes allumettes, tend la main. Eddie lui donne. Sitôt qu'elle tourne le dos, des cris : des jeunes lui arrachent son argent.

– Papa, donne-lui-en encore, sinon elle va mourir !

Elle nous fixe de ses yeux tristes. Sa tête dodeline résignée. Eddie redonne. Nous sommes suivis : tous veulent une parcelle de douceur.

Un autre tantôt, nous marchions au hasard. Une petite fille d'une dizaine d'années, en haillons, image de la Vierge dans une main et l'autre pointée vers sa bouche, s'était mise à nous suivre. Eddie lui donne quelques pièces, d'autres accourent. Eddie leur donne aussi puis décide que pour un moment, c'est suffisant. Plus insistante, une nouvelle petite fille court devant nous. Même manège. Un homme s'interpose, admoneste l'enfant, s'excuse et la chasse. Une minute de répit. Je me retourne et vois « ange de Lucifer » pousser la petite vers nous.

On est révoltés. Une sourde colère viscérale nous étreint. On s'avance tous vers lui. Bien appuyée par Eddie et les enfants, je lui débite un chapelet d'épithètes acadiennes, québécoises et anglaises.

Lynda eut peur : « Maman, tu vas pas nous faire revenir ici. Ah non ! Je veux jamais revenir, c'est trop laid ! Puis les gens font pitié. »

Elle me regardait, les yeux ronds, l'air décidé. Ed et Muriel ne voulaient plus rien visiter. Ed a dit ce qu'ils pensaient : « Tu voulais qu'on voie la misère, papa, puis ceux qui ont faim. T'as pas manqué ton coup. On comprend. »

Ce soir-là, le sommeil fuyait. Il faisait clair malgré la nuit. La Lune portait robe d'argent; les étoiles scintillaient comme des diamants, offraient aux pauvres les splendeurs de la voûte céleste. Fixant leurs reflets à travers les fentes du rideau, je tentais d'exorciser les images qui défilaient dans ma tête assaillie par une vague de pourquoi.

L'unique raison de notre escale à Delhi, visiter le Taj Mahâl. Des centaines d'adultes et d'enfants dorment sur le trottoir et sur le béton du terre-plein. Sommes encore devant ces loques humaines étendues dans un sommeil demi-frère de la mort. Près d'eux, une jarre d'eau et, dans un baluchon fixé à une tige en bambou, tout leur avoir. La plupart toussent d'une toux qui traverse la nuit. *From a distance* de Bert Middler me hante.

– On est gâtés et on l'sait même pas. J'voudrais être millionnaire !

Au matin, les miséreux avaient disparu. Nous allions vers Âgra en taxi. À pied, à bicyclette, en charrette tirée par des buffles, des ânes ou des chameaux, les gens se rendaient en ville travailler.

– Regardez ! Des puits.

Éberluée, Muriel fixe des femmes qui remplissent d'énormes cruches et d'autres qui les transportent sur leur tête.

– Elles doivent avoir mal à la tête. Regardez, on dirait les puits de la Bible. Comme dans l'temps de notre Seigneur, tu connais ça, papa. (Mumu)

– Regardez, des huttes en m... de vache et sur les ponts ! Ils étendent ça avec leurs mains, comme des boules de neige ? Là, ce sont des boules de m... (Ed)

Les enfants se regardent, n'ajoutent rien. Leur visage dit tout.

– La senteur est peut-être pas agréable mais ici, c'est précieux.

À Âgra, à deux cents kilomètres de Delhi, le Taj Mahâl. Sur un large boulevard en construction, en plein soleil et par une chaleur de 45 °C, des hommes cassent des pierres, d'autres les écrasent. Peu après, c'est aux femmes qu'il revient de transporter, dans de grands plateaux ronds placés sur leur tête, ce concassé et le chaud goudron d'assemblage. Aucun mot ne peut exprimer ce que nous ressentons.

Le Taj Mahâl, monument à l'amour, devant nos yeux enfin !

– Maman, qu'est-ce que c'est le Taj Mahâl ?

– C'est un mausolée en marbre blanc construit de 1630-1658 par l'empereur Shâh Jahân; il voulait commémorer le décès de sa troisième épouse, Mumtaz-i-Mahâl, qu'il aimait passionnément. Elle était morte en donnant naissance à leur quatorzième enfant.

– Sa troisième femme, quatorze enfants ? Il perdait pas de temps.

– Chez vous, vous en avez juste eu douze, maman.

– C'était assez. Mon père s'appelait Pierre, pas Shâh Jahân.

– Elle avait que quarante ans. Mumtaz signifie joie du palais.

– Puis joie dans le lit ! La farce d'Ed tombe à plat.

Le Taj est splendide, comparable aux pyramides d'Égypte ou au château de Versailles. Vingt mille hommes travaillèrent à sa construction pendant vingt ans. À l'intérieur du mur, devant le Taj, deux grands bassins, d'environ trente mètres sur cinquante, bordés de cyprès, avec fontaine au centre. Sur les dalles de marbre, un peu d'eau répandue. Quand Lynda a glissé dans le bassin – peu profond – et s'est mouillé les pieds, Ed et Muriel se sont mis à chanter : « Lynda swam in the Taj Mahâl, Douda, Douda; Lynda swam in the Taj Mahâl, Douda Douda dé » : elle n'a pas apprécié leur sens de l'humour. Il faisait si chaud que Muriel en avait le visage comme une tomate bien mûre.

– C'est vrai que c'est beau ! Tout un monument ! Magnifique ! Ça valait le détour.

Passant sous une arche de vingt-huit mètres, on pénètre dans la crypte. Des panneaux en marbre blanc délicatement sculpté cadrent les tombeaux du shâh et de son épouse.

– De la dentelle, maman !

– T'as raison, Lynda. Les tombeaux sont décorés de pierres précieuses : des diamants, des émeraudes, des rubis, des topazes, etc. incrustés dans des fleurs sculptées dans le marbre. Un chef-d'œuvre d'une richesse inimaginable.

– Tant d'argent pour une morte, quand les vivants mouraient de faim.

Le Shâh a-t-il régné longtemps ?

– Non. Son fils l'a emprisonné et il est mort dans un cachot, dans le Fort Rouge, tout près du Taj.

– Ça lui a pas donné grand-chose, ce monument et ses trésors.

Voir cette merveille, une sensation indéfinissable. Je l'ai contemplée. Je voulais me rappeler chaque détail, savourer l'atmosphère. Il faut le voir pour mesurer la beauté, la grandeur de l'œuvre. Mon rêve réalisé !

Sur la route du retour à Delhi, le moteur s'est mis à surchauffer. On s'est arrêtés. Des gens rassemblés nous regardaient. Ed nous a crié.

– Papa, maman, venez vite ! Un charmeur de serpent !

Assis, un homme jouait de la flûte devant un cobra. Pauvre gars ! Il jouait, jouait avec une détermination désespérée, mais le serpent, trop faible pour soulever la tête, restait étendu comme une saucisse flasque, à moitié vide. De temps en temps, le charmeur glissait sa flûte sous le serpent, essayait de le soulever. Ed et Muriel se tordaient de rire. « Même un choc électrique ne réussirait pas à le faire bouger. » de conclure Eddie au moment d'annoncer que nous reprenions la route de Delhi. L'Inde ne se limite pas à la pauvreté. Paysages arides, mais aussi paysages verdoyants, monuments, richesses... Pays étonnant et fascinant. Peuple chaleureux, accueillant.

Le vol Delhi-Londres, onze heures. Confortablement installés, on a demandé de l'eau. L'hôtesse avait certainement fait une erreur; c'était trop bon pour de l'eau. Celle-ci devait être un Dom Pérignon déguisé. Telle une personne qui vient de traverser le désert, j'en ai savouré chaque gorgée. Ce verre embué contenait l'élixir des dieux. Ça chatouillait au passage. À demi déshydratée, je buvais lentement. De temps à autre, je jetais un coup d'œil aux miens, mêmes plaisir et satisfaction. En Asie, nous n'avons bu que de l'eau en bouteille.

Aussitôt assise, je sortis l'attirail de voyage : des cartes à jouer, des jeux, des crayons à colorier, des tablettes et des livres. Ed et moi étions dans le troisième siège, à côté d'un psychiatre indien. Devant nous, Muriel et Lynda avec Eddie qui s'est vite plongé dans un livre.

Le psy entame la conversation. Il va à Londres rejoindre sa femme et ses enfants. Elle s'y repose depuis un mois. Nous l'intéressons et il nous intéresse. Il veut tout savoir. Qui sommes-nous ? Où allons-nous ? Que faisions-nous en Inde ? Nos occupations ? Curieux, le psy. Peut-être par déformation professionnelle ! Il ignore que, psy ou non, j'ai moi aussi l'intention de le confesser. N'ayant rien à cacher, je parle sans gêne avec lui. J'y vais graduellement, on ne sait jamais. Ce serait dommage de bousiller son cerveau ! Comme nous, il a une maison; mais là s'arrête la ressemblance. Pas ordinaire ce psy ! Il a chauffeur, cuisinier, jardinier, précepteur, bonne d'enfants, deux femmes de chambre dont une au service exclusif de sa femme. Je glisse innocemment.

– Alors, votre femme, elle fait quoi ?

– Mais, mais, elle s'occupe de l'éducation de nos enfants.

– Mais vous avez un précepteur et une bonne d'enfants.

J'insiste un peu tout de même. Il doit être habitué à ce jeu.

– Mais elle fait quoi exactement ?

– Elle voit à la bonne marche de la maison, s'occupe de nos invités quand nous recevons.

– Elle a un cuisinier, il doit tout préparer ?

Je lui raconte une de mes journées. La tête lui tourne un peu, ai l'impression que son siège est de moins en moins confortable. Il gesticule un peu, mais reste très aimable. On est psychiatre ou on ne l'est pas ! Ed me regarde, un embryon de sourire au coin des yeux. Je parle au psy de ce que nous avons vu à Calcutta et à Delhi, cherche à savoir comment il se sent devant cette misère.

– C'est triste, c'est dommage, ça me peine beaucoup.

Soudain, dans son cerveau, une idée lumineuse.

– J'aide beaucoup mon peuple, vous savez.

– Ah oui ! Je suis contente de l'entendre.

J'aime les situations claires et nettes.

– De quelle façon aidez-vous, monsieur ?

– Bien, en faisant travailler mes employés, chez moi.

L'air satisfait, il se redresse tout content. Il me fixe du regard, une question au fond des yeux. Je m'abstiens de dire ce que je pense de lui. Je devrais peut-être... Quand mon sang acadien est en ébullition, je deviens très volubile. Je le regarde en détail en hochant la tête.

– Une façon de voir les choses.

Eddie lit, mais n'a pas manqué un mot de notre conversation. Il se tourne vers moi. Il me connaît. Je m'excuse et je me tourne vers lui.

– Quel maudit profiteur ! Je suis surprise qu'il n'ait pas son réseau de jeunes prostituées, celles de treize ou quatorze ans qu'on a vues à Calcutta et à Delhi. Il ferait travailler encore plus de personnes.

Eddie me prévient : « Ne lui demande pas ça. Il est poli, gentil. T'as pas à le juger. » Je me tiens les lèvres serrées pour ne pas qu'elles échappent des choses... Ed me regarde. D'un ton doucereux, il me glisse :

– Il est gentil, gentil, le monsieur, maman.

Lynda acquiesce. Elle n'a rien compris, mais elle veut changer de siège avec moi. Elle veut s'asseoir près du gentil monsieur. Sitôt dit, sitôt fait et le gentil monsieur l'aide à colorier, jase avec elle, un vrai scout.

L'avion survole l'aéroport d'Heathrow, notre porte sur l'Europe. Ai hâte de voir la famille de « mon » psy. Elle est à l'arrivée. Je la reconnais d'instinct. Une femme et des enfants sortis tout droit de chez Dior. Lui nous salue, se dit ravi d'avoir fait notre connaissance. Elle nous toise du regard. Moi aussi ! Un petit croche-pied en passant ! Je sais, maman : ce n'est pas bien; mais je ne suis pas encore à Rome.

L'Europe

Je pourrais m'arrêter pendant des heures à ce merveilleux continent, mais je n'en ferai qu'une visite éclair, chemin faisant.

Londres ! Un magnifique 20 °C ! Ce qu'on est bien ! Euphorie générale ! J'avais presque envie de baiser le sol.

– Ça va pour le pape, mais pas toi. Je suis pas certain que les gens comprendraient.

J'avais une autre raison de me réjouir. Bientôt le Québec et l'Acadie.

– Regardez, un McDonald. Il faut y aller ! J'suis tanné des chats puis du riz !

Lynda est choquée. Elle veut manger tranquille et nous aussi. Londres : en avant le Changement de la garde, la Tour de Londres et les joyaux de la reine; on visite. Muriel et Lynda veulent voir l'endroit où ont été exécutées les femmes d'Henri VIII.

– Ça lui coûtait pas cher en avocat ni en pensions alimentaires.

Une pause sur un banc le long de la Tamise pour écouter le Big Ben, Trafalgar Square et Piccadilly; la statue d'Eros, Hyde Park et son Speaker's Corner où quelques personnages montés sur des caisses de bois ou de petits bancs déblatèrent contre tout. Muriel voudrait aller parler.

– De quoi voudrais-tu parler, Muriel ?

– Dire au monde c'que c'est que d'avoir une peste pour frère.

Des jours à prendre le métro, à visiter, à nous promener juste pour le plaisir. Ensuite, nous allons chercher le motorisé tout équipé, bon pour six personnes, qu'Eddie avait loué six mois auparavant.

À Dunkerque, le long de la berge, de grosses caches en béton construites par les Allemands. Eddie et Ed les scrutent de tous les bords.

– Ils pouvaient tirer sur les Alliés en toute sécurité.

– Oui, ils étaient aussi faciles à tuer que des pigeons d'argile.

Bruxelles, ton palais royal et ta cathédrale Sainte-Gudule, tes cafés, tes fromages exquis, tes fins chocolats, tes moules et frites, ... nos enfants t'adorent. En son coin retiré, ton Manneken-Pis les a laissés sans voix. Lynda, perplexe, le regardait et nous questionnait.

– Pourquoi on regarde la statue d'un petit garçon qui fait pipi ?

Eddie explique à Lynda que le fils du roi s'était perdu en forêt. Quand il fut retrouvé, il faisait pipi. Le roi fit ériger la statue de son fils dans la même position. Ce n'est qu'une légende.

– Il était pas mal bizarre, ce roi-là. Il aurait pu attendre que son petit garçon remonte ses culottes !

À Amsterdam, la maison de Rembrandt et surtout celle d'Anne Frank nous impressionnent. Les enfants qui en connaissent l'histoire examinent l'armoire pivotante qui servait à masquer l'entrée de leur appartement. Lynda approche aussi.

– Bien pensé, mais elle avait toujours peur d'être découverte.

– Elle est morte dans un camp de concentration.

Les enfants parlent à voix basse; peut-être qu'ils ne veulent pas réveiller les souvenirs. Amsterdam, une ville paisible ! On ne se lasse jamais de s'y promener.

Eddie a été émerveillé par le Rijksmuseum : plus de deux cents tableaux et de cinq cents dessins de Van Gogh, de Rembrandt, de Hals, de Vermeer et de bien d'autres.

À regret, on a escamoté l'Allemagne. Arrêt au camp de Dachau, où plus de 70 000 Juifs furent mis à mort dans des chambres à gaz. Une expérience émouvante que cette visite. Des gens qui regardent des photos suspendues aux murs pleurent. Glissant avec révérence une main sur une de ces illustrations, un homme, dans la cinquantaine, sanglote en silence. De grosses larmes qu'il n'essuie pas coulent sur ses joues et sa chemise. Il se rappelle. Debout, dans une douloureuse paralysie qui le tient immobile, son cœur saigne. Le nôtre chavire. Bouleversée, Muriel le regarde. Mon esprit entend Raymond Lévesque : « Quand les hommes vivront d'amour. »

L'Italie. J'ai adoré ce pays, ses pics de plus de 3 000 mètres, ses paysages, un irrésistible havre de paix. Qui n'a pas rêvé de Venise et de ses gondoles, de sérénades ? Encore une fois les chansons d'amour que ma mère nous chantait valsent dans ma tête. La Place Saint-Marc est telle que je l'ai souvent imaginée dans ma jeunesse. Le Palazzo Ducale, Palais des Doges, à lui seul, un sujet intarissable. Une attraction après l'autre, il y a tant à voir.

À la pointe du jour, nous étions en route. J'aimais bien ces quelques heures de tranquillité qu'Eddie et moi volions aux enfants. Silencieux, chacun savourant la beauté de la nature qui s'éveillait sous nos yeux : un petit lac, un cheval galopant libre dans un champ. Eddie étendait le bras et me serrait la main. Les mots devenaient superflus.

Florence ! Un immense musée, une autre ville dont on n'a vu qu'une partie. Le zizi à l'air, le David de Michel-Ange fait sourciller les enfants. Retient aussi notre attention le Baptistère dont la réalisation des deux portes principales a exigé de Ghiberti quarante-deux ans de labeur : les sculptures représentent des scènes de l'Ancien Testament. On dit que lorsque le grand Michel-Ange les vit pour la première fois, il les trouva si extraordinaires qu'il aurait déclaré : « Ces portes sont dignes d'être à l'entrée du Paradis. »

– Aux galeries de l'Uffizi, le nec plus ultra de l'art. (Eddie)

– Si vous sortez les grands termes, j'démissionne, j'suis fatigué.

– Tu pourras te reposer dans le restaurant en nous attendant.

– Puis manquer le necking ? Jamais ! J'regretterai ça toute ma vie.

Ces galeries de l'Uffizi, l'un des endroits qui nous a le plus impressionnés durant notre voyage; elles offrent aux regards la plus grande collection de Raphaël, de Botticelli, de Michel-Ange et de Léonard de Vinci. Les enfants sont conquis et Eddie est en extase.

On s'arrête devant la *Pietà* de Michel-Ange dont je rapporte une copie à ma mère. Pour elle, un morceau de sainteté, son billet d'entrée au paradis !

Rome ! Maman, j'y suis ! En entrant, Eddie grille un feu rouge. Le gendarme siffle, siffle et se dirige vers nous.

– J'pense qu'il étrenne son sifflet.

– Chut, pas un mot, personne. Laissez-moi faire.

Le gendarme s'adresse à Eddie en italien. Il est furieux. De son plus beau sourire, Eddie le regarde, hausse les épaules. Le gendarme persiste, s'adresse à Eddie en français. À nouveau, Eddie sourit, hausse les épaules, simule de ne rien comprendre. Dépité, le gendarme le fixe, le mitraille du regard puis, d'un geste rageur, lui fait signe de partir. Eddie comprend et part ! N'en pouvant plus, nous éclatons de rire.

– Pas bête, papa, j'aurais jamais pensé à ça.

– J'avais pas vu le feu rouge. J'vais faire plus attention.

Une pluie de questions s'abat à la vue de deux bambins qui tètent une louve : nos enfants restent décontenancés devant le monument érigé en l'honneur de *Romulus* et *Remus*. Mains sur les hanches, Lynda nous questionne des yeux.

– Selon la légende, Rome fut fondée par *Romulus* et *Remus*, fils de Mars. Perdus en forêt, ils ont été nourris par une louve.

– Et la louve les a pas mangés ? Où étaient leurs parents ?

– La louve avait mangé les parents, parce que des parents c'est tannant; ça dérange : fais ci, fais ça; fais pas ci, fais pas ça. Vous savez...

– Si t'avais été là, c'est toi qu'elle aurait dévoré, parce qu'un gars comme toi, c'est pas endurable !

– T'as raison, papa ! T'as donc raison !

Eddie leur explique que ce n'est qu'une légende qui ajoute du piquant; ce n'est pas vrai, vrai, mais l'histoire est ainsi faite.

– Oui... J'aime mieux l'histoire, pas d'piquant.

Pendant notre séjour à Rome, le frère Goulet, une mine de savoir sur la ville sainte et son histoire, nous servit de guide : le Panthéon, le Colisée, la Place Saint-Pierre. Tout ça, ça vous prend aux tripes. Incroyable ! je suis ici !

– Edna, sûr que le chapelet de ta mère est bien rouge ! Imagine ! Nous allons recevoir la bénédiction du pape.

– Cinq parmi des milliers; on va le voir de loin, de la fenêtre, en haut là-bas. (Ed)

– On va le voir ! Ma mère et le pape, comme deux doigts d'la main.

La Place Saint-Pierre, l'intérieur de la basilique, les Colonnes de Bernini, la Chapelle Sixtine, la statue de Moïse par Michel-Ange, tant de chefs-d'œuvre, ça impressionne. Eddie explique l'incident survenu au Moïse.

– On dit que dès qu'il eut fini de sculpter cette statue, Michel-Ange se recula pour admirer son œuvre; il la trouva tellement vraie qu'il imagina qu'elle pouvait parler. Il lui dit : « Parle, Moïse. » Choqué de ne pas obtenir de réponse, il lui asséna un coup de marteau sur le genou. Effectivement, un éclat manque au genou. Muriel ne trouve pas ça drôle.

– Y était pas bien fin ! J'pense qu'il avait mauvais caractère.

– Peut-être, mais c'était un génie architecte, peintre et sculpteur.

Nous montons dans le dôme de la basilique conçu par Michel-Ange : un exploit que je ne suis pas prête à recommencer. Les statues qui d'en bas semblent d'à peine deux mètres de hauteur en font au moins six de près. L'ascenseur s'arrête à mi-chemin. Un escalier en colimaçon avec, au début, de larges marches qui deviennent plus étroites et très usées à mesure qu'on avance. Dans ce dôme, collés contre le mur intérieur dans ce gros cylindre qui rapetisse, nous gravissons les vingt-cinq dernières marches. En moi, sauf mon cœur qui gonfle, tout grimpe : l'angoisse, la tension... Enfin en haut ! Les autres se confondent en exclamations émerveillées. Eddie essaie de me convaincre de regarder. Je lui en veux. Pour une rare fois, je suis fâchée contre lui. Il se fait doux, rassurant : « Viens voir, chérie, sinon tu vas le regretter toute ta vie. » Je suis hors de moi : « La seule chose que je vais regretter toute ma vie, c'est de t'avoir écouté. » Lentement, je m'approche; je tends le cou, ouvre subrepticement les yeux et balaie la Place Saint-Pierre d'un regard ému. À mes pieds, les jardins du pape et les environs. Évanouie ma peur ! Eddie s'approche sans mot dire, met un bras autour de ma taille. Nous admirons.

– Viens, je vais t'aider à descendre. Je passe devant, mets tes mains sur mes épaules; si tu tombes, tu tomberas sur moi. (Il ajoute *mezza voce*.) Fie-toi à moi.

Vêtus de leurs superbes costumes dessinés par Michel-Ange, les gardes-suisses, lance à la main, sont à côté de la basilique. Eddie veut prendre une photo. Un minutieux de la photo, mon Eddie. Tout, les personnes, la distance, la lumière, l'arrière-plan, doit être considéré. Il faut ce qu'il faut ! Il nous voulait près des gardes-suisses, mais... les gardes, loin d'eux. J'entends encore Eddie nous dire : « Reculez, reculez ! » pendant que l'un des gardes lance un fort « Arrêtez ! Stop ! »

Reprenant le même stratagème qu'à l'entrée de la ville, Eddie n'entendait rien, continuait de nous demander de reculer pendant que le garde hurlait des « stop ! » secs et cassants. Nous reculions, reculions... Eddie croqua LA photo et, d'un sourire satisfait, remercia le garde.

– Papa, il me semblait sentir le bout d'une lance dans mon fond de culotte; j'aimais pas ça, mais pas du tout.

– Ça t'aurait fait du bien. T'aurais arrêté de nous agacer.

– Papa, t'avais pas peur qu'il t'attaque ?

– Mais non, Dada, il aurait jamais osé : j'cours bien trop vite.

Le lendemain, messe au Vatican. De sa fenêtre, le Pape donna sa bénédiction *urbi* et *orbi*. Tous émus, conscients de vivre un moment inoubliable. Plus tard, nous gravîmes les marches que le Christ avait empruntées pour aller chez Pilate. Il me semblait revivre l'histoire. Ensuite, la *Via Apia* et les catacombes. Rome compte de nombreuses églises superbes dont celle de Santa Maria della Concezione qui nous a impressionnés, surtout les enfants qui n'en croyaient pas leurs yeux ! Elle offre des morts une vision assez macabre. Un jour, un cimetière où quatre mille moines étaient ensevelis a dû être relocalisé. Ils ont ramassé les os : fémurs, tibias et autres os plus petits, ont fait des lampes suspendues et des décors de tous genres. En retrait, le long des murs, des squelettes en position assise ou couchée. Stupéfiant ! Une farce de bien mauvais goût, si c'en est une ! Je ne comprends pas. « Peut-être une pratique macabre de l'âge baroque ? » me dis-je. Pourquoi ne pas avoir rangé ces ossements ailleurs ? Les enfants regardent, incertains. Lynda examine cet étalage d'os, fixe les squelettes, puis lance en toute spontanéité enfantine : « Un chien aurait un fun fou ici ! »

Le 13 juin, nous célébrons à Pise les sept ans de Lynda. Eddie aussi est né un treize et pendant huit ans, notre numéro civique fut treize. Le treize, notre chiffre chanceux. Au revoir Rome; au revoir l'Italie. J'y reviendrai, j'espère !

À nous la Suisse maintenant, ses routes en lacet ! La Suisse des cartes postales. Berne et sa Fosse de l'ours qu'on nous avait décrite comme un must absolu à visiter mais qui se résumait à un trou avec trois ours à moins 500 mètres duquel Lynda passerait l'année 1989 lors d'un très dispendieux échange Interculture Canada.

Au tour de la France de nous accueillir. Fontainebleau, Versailles, somptueux ! Visitaient Versailles une classe de jeunes dont quelques-uns se chamaillaient. Les enfants les regardaient, les écoutaient. L'un d'eux, décidé de river le clou à son copain, lui lança : « Tais-toi; t'es rien qu'un petit tire-bouchon, toi. » Et le copain de rétorquer dare-dare : « Ferme-la; sinon j'te la pisse dedans alors ! »

Ed, Muriel et Lynda, surpris de cette expression plutôt « tordante » s'esclaffèrent.

Paris, capitale de l'élégance, de la culture, de la fine cuisine, les Champs-Élysées, notre préféré, le Louvre.

– Vous êtes fatigués, allez prendre une collation au casse-croûte.

– Non ! On veut voir les peintres dont tu nous as parlé et la *Mona Lisa*. Ça, c'est une femme qui va me suivre... des yeux.

◆

Nous ne fûmes pas déçus. Eddie était en admiration devant cette profusion de toiles de grands maîtres. Il examinait, commentait pour les enfants. Seul dans un musée, il perd la notion du temps. Ailleurs n'existe pas.

Eddie avait organisé un petit détour à Liverpool pour saluer son ancien élève, Christopher Armstrong. Cambridge, Oxford, Stratford-upon-Avon, Windsor, ces noms m'ont fait rêver. Si jamais je gagne le million, je retourne à l'université. Direction Londres, dernière étape. Je ne peux y croire. C'est vraiment vrai ! Le branle-bas. Comment agrandir nos valises ? Tous ces souvenirs. On remplit et vide toutes les boîtes. Ça ne fait rien, je déborde d'énergie. Amenez-en des valises !

Je sentais l'air salin, l'odeur du varech. Resurgissait le goût des carrés aux dattes de ma mère. J'anticipais l'atterrissage au Québec, les visages aimés, notre maison. Youpi-doo, pi-doo, doo ! *Veni, vidi, vici !* Le 24 juin 1978, ma sœur Alvina et nos amis les Lessard, les Faille, les Bourguignon, les Gagnon sont à l'aéroport. Jacques aussi, le copain d'Ed, qui le cherche des yeux. À la vue d'Ed, il reste sans voix. Jouissif, Ed rit, se pavane, fier d'être plus grand que lui. Muriel le regarde parader.

Arriver, appeler mes parents, entendre la voix de ma mère de si près, quelle sensation ! On avait hâte de se voir. Annette et Raymonde voulaient savoir quand j'irais en Acadie.

– On a pas fini d'avoir des factures de téléphone salées !

Eddie savait qu'il le fallait absolument : on avait des choses à se dire. Une dizaine de jours pour nous réinstaller, puis hop au Nouveau-Brunswick ! Mon sang acadien bouillonne. Mon père et ma mère nous attendent. Toujours au même endroit, comme si je n'étais jamais partie. On s'embrasse, ils nous examinent, satisfaits que nous soyons encore les mêmes. Annette arrive et se jette dans mes bras. Moment unique. Plus tard, Raymonde nous rejoint. Que je suis comblée !

◆

Dix jours à se raconter notre absence, à se parler, à se confier. Dix jours, bercée par la mer. Eddie sort l'écran et les diapositives : ils refont le voyage avec nous. Ma mère rit et pleure; mon père passe par toutes les émotions : nous à Rome, tout un bonheur pour eux ! Quand on commence à parler de l'Inde, ils sont suspendus à nos lèvres. Surprise ! Ma mère ne veut plus voir de films. Calcutta l'a bouleversée. Mon père est d'accord. Je les comprends. Pour eux aussi, un choc ! Mais Rome, sublime : un cadeau du ciel, via l'Europe.

De retour au Québec. On reprit vite contact avec la réalité. La circulation m'effrayait. Les gens étaient si pressés. Quel calme là-bas ! Je restai deux semaines sans toucher à la voiture. Mon amie Jeanie m'interpella.

– C'est quoi c'tte niaiserie-là ? Secoue-toi. Il est temps. Tu sais encore conduire.

Sa semonce me fit du bien. Je sortis, entrai dans l'auto, mis le contact et allai faire un tour.

En septembre, nous étions tous casés. Ed dans une imprimerie, les autres à l'école. Un petit incident, plutôt drôle, Dès la première journée, comme elle ne trouvait pas sa gomme à effacer, Muriel a demandé à sa voisine de banc arrière : « Do you have a rubber ? » Rubber, le terme anglais (britannique) pour gomme à effacer. Ici, nous utilisons le terme américain eraser. De plus, Muriel le prononçait à l'Australienne rubba. Sidérée, la fille la fit répéter, haussa les épaules. Plus tard, elle demanda à Muriel de préciser ce qu'elle voulait. « A rubba », dit-elle, faisant le geste d'effacer.

– Ah ! An eraser ! Au Québec, un rubber, c'est un condom, ma chère !

Lynda ne se plaignait pas, mais j'ai appris, trop tard, qu'elle avait nettement détesté l'école au Québec.

– Maman, en Australie, j'étais populaire. On voyageait, t'étais là. Ici, je connais personne. Même si tu m'aides, je dois quitter la classe pour prendre des cours de récupération en français. Tout d'un coup, j'suis nounoune. Mais le pire c'est que l'école, au Québec, est PLATE, presque pas de sports. Tu sais, en Australie, on avait un après-midi de sport par semaine, la natation, des exercices, la cuisine. Ici, c'est pas relaxe pantoute dans nos classes. L'école a pas de vie.

– Nous aurions peut-être pas dû partir, vous changer d'école.

– Ah non ! Ces années de voyage et en Australie ont été les plus belles de ma vie. J'ai bien réussi quand même, mais...

Un dimanche d'automne, Eddie et moi montons dans les Laurentides. Le paysage est féerique. Toute toile dehors, la nature en donne plein la vue. Jaillissent de partout des nuances de vert, de jaune, d'orange et de rouge. Peu de paysages peuvent rivaliser avec ceux que nous avons sous les yeux au Québec. Un chalet est à vendre, non, deux, un petit et un gros, pour le même prix.

Eddie rénove le petit; le gros, que nous occupons, reçoit aussi un lifting. Un travail de forcenés... heureux. Alvina nous rejoint avec notre dessert préféré et sort le balai. Elle nous donne un gros coup de main. Du plaisir, des situations cocasses ! On rit de tout et de rien. Tout va pour le mieux dans le meilleur des mondes.

Un an plus tard, Eddie perd son emploi ! La nouvelle m'atterre. Après réflexion, je lui dis : « On pourrait retourner en Australie. Il y a du travail, des gens formidables et du beau temps. »

– Mais tu t'ennuyais à mourir.

– Oui, mais là je suis habituée, puis tu adores l'Australie et les enfants aussi. On s'arrangera. Appelle le collège de là-bas. Vois si tu as encore un emploi.

La réponse est des plus affirmatives. Nous en parlons quelques jours. Les enfants sont d'accord. Maison et chalets furent vendus dans la quinzaine. Cette fois, pas à s'en faire avec le visa : on a le statut d'immigrant. Immense vente de garage : presque tout

◆

disparaît. Eddie ressort les panneaux et les cercueils reprennent forme. Nouvelle tournée d'adieux beaucoup plus pénible, car elle semble plus définitive. Mais...

Ed ne veut plus partir. Il a un bon emploi, une blonde et préfère rester. Une douche froide pour tous, sans doute encore plus pour moi ! Ed, l'aîné, le bon fils – qu'il est toujours d'ailleurs – avec qui nous avons une relation privilégiée, une connivence merveilleuse, un garçon calme, taquin, serviable, le fils que tout parent voudrait avoir. Une petite voix, que je préférais ignorer, me disait que ce serait pénible, mais qui sait, il viendrait peut-être nous retrouver. Le 22 août 1980, à l'aéroport de Dorval, second départ pour l'Australie.

London Tower Bridge, Londres

Muriel, Anne, Lynda

Caches en béton, Dunkerque, France

Un des « fameux » jeepneys
Manille, Philippines

Quatre moineaux et un moine
Bangkok, Thaïlande

Le Taj Mahâl
Âgra, Inde

Fiez-vous à moi...
vous allez l'avoir !

Romulus, Remus,
« Edwardus », Rome

Un admirateur... Place Saint-Pierre, Italie

Garde mécontent au Vatican, Italie

◆

L'épilogue

Porteur d'un sentiment de perte définitive, ce départ ressemblait à une cassure. La veille, vers minuit, Nathalie Ostiguy, la meilleure amie de Muriel. La voix tremblante, elle demanda à lui parler une dernière fois, « parce que j'la reverrai plus. » Elles causèrent longtemps, pleurèrent aussi. Cette fois, notre ami Paul Lévesque nous conduisit à l'aéroport. Entourés de parents et d'amis, je regardais Ed, désireuse de m'imprégner de chaque trait de son visage. Ce fils si tendrement aimé ne ferait plus partie de notre vie. Il ne serait plus là chaque soir pour me raconter ses sorties, me parler de son amie, de ses rêves, de ses projets.

Il approchait sur la pointe des pieds, murmurait doucement : « Maman, dors-tu ? » Évidemment que je ne dormais pas. J'attendais qu'il entre. Alors, il causait. Il n'était pas une machine à paroles, mais il causait; je savais lui donner le temps nécessaire. Par bribes d'abord et petit à petit, il se confiait. Il avait cinq ans à la naissance de Muriel. Très tôt, je l'amenais avec moi. Dès qu'il commença à parler, nous avons pris l'habitude de converser. Notre relation était unique. Que de bonheur et de plaisir, il m'a apportés. Muriel et Lynda l'adoraient.

Aussi lourd que mon cœur, l'avion semble s'élever avec difficulté. Première escale, Edmonton, Alberta. Le frère d'Eddie, Raoul et sa femme, Blanche. Les deux frères se rappellent des souvenirs d'enfance. Nouvel arrêt : Los Angeles. Disneyland nous charme autant que la première fois, la parade électrique aussi. Universal Studio : les cascadeurs sont impressionnants mais décevants aussi, car ils nous montrent leurs feintes, leurs trucs, leurs façons de présenter des batailles. Fini l'imaginaire, la magie.

Hawaï. Visite du Centre Culturel Polynésien : parade, banquet et spectacle « Invitation au paradis »; nous vivons une aventure unique.

◆

Les mots me manquent pour décrire la beauté, la diversité du lieu, de la parade, des danseurs et danseuses du spectacle. Debout dans des embarcations typiques de leur pays respectif, parés de costumes à couper le souffle, des « natifs » de ces îles, beaux, droits, majestueux et fiers, descendent une petite rivière artificielle. Un spectacle débute à la brunante. On attendait avec impatience. Lynda ne tient plus en place. Des guerriers, torches au poing, surgissent de partout du haut de la montagne. Ils descendent et se rendent sur l'estrade au son d'une musique endiablée. Un frisson de plaisir nous transporte dans un monde où n'existent ni l'heure ni la réalité. Les danseurs et danseuses hawaïens, tahitiens, maoris et les autres rivalisent d'ardeur et soulèvent l'enthousiasme.

Samoa, dernière escale. Muriel et Lynda embaument l'air de l'avion. Elles portent un collier de *lei*, des fleurs odorantes qui dégagent un arôme capiteux. L'aérogare de Pago Pago n'est pas plus grand qu'un mouchoir de poche. La température oscille entre 28 et 30 °C à longueur d'année. Plutôt grands, costauds, calmes et sereins, les gens semblent en bonne santé. Notre hôtel, le Rainmaker, s'élève au pied de la montagne du même nom rendue célèbre par l'écrivain Somerset Maugham. Des motels en forme de huttes nous servent de chambres. Propres, modernes et climatisées, ces huttes mesurent environ dix mètres de hauteur. Le premier soir, alors que j'étais allongée, mes yeux parcouraient machinalement le plafond. Quelque chose attira mon attention. D'un mouvement rapide, je me redressai.

– Eddie, regarde. Regarde au plafond.

La tête sous le drap, je criais. Il sursauta.

– Quoi ? Les petits lézards ? C'est rien, ça.

– Petits ! Petits ! Ouvre-toi les yeux ! Il y en a d'au moins un mètre.

– Voyons ! à peine vingt-cinq centimètres. Ils descendent jamais. Ils nous débarrassent des insectes. Sans eux, il y en aurait partout. Tu veux pas ça ? Puis, ils sont inoffensifs et peureux. Regarde !

L'épilogue

◆

En disant cela, il lance une pantoufle au plafond. Les lézards courent vite comme l'éclair. Muriel et Lynda rient. Il en remet. J'étais loin d'être rassurée. Dormir la tête recouverte d'un drap, ce n'est pas l'idéal. J'ai survécu. Ce répit de trois jours, un baume sur mes émotions.

L'Australie, Melbourne, nous revoici ! J'aime ce pays dont Eddie est épris, ses habitants et son climat; j'adore y enseigner, mais en même temps, un grand vide dans mon cœur. La vie continue. Cette fois, il nous faut une maison. Une maison de rêve nous séduit : un peu plus de onze mètres sur dix-neuf. Le hall d'entrée, deux mètres et demi de largeur sur sept mètres de longueur, se prolonge dans un miroir biseauté mur à mur, du plafond au plancher. Les autres pièces aussi luxueuses, sans oublier la cubby house pour Lynda. La chambre de Muriel, dans les tons de rose, et celle de Lynda, décorée en *Holly Hobby*, semblent sorties d'un conte de fée.

Eddie dirigeait un collège, j'enseignais, Muriel entra au secondaire et Lynda, ravie, retrouva sa classe, ses amies qu'elle avait quittées deux ans plus tôt. Tout allait à merveille ! Le bonheur à nouveau, mais un bonheur de rose !

Un jour, les larmes aux yeux, Lynda vint me trouver.

– Maman, je m'ennuie d'Ed. Je le suivais partout; des fois, il me trouvait tannante, mais il m'aimait. Tu te rappelles, maman, quand il rentrait et se tenait debout, les coudes appuyés sur le comptoir. Il me semble qu'il va arriver et faire pareil ici, mais il arrive jamais.

Je la pris dans mes bras, la berçai, la fis rire. Elle repartit jouer, mais le cœur n'y était pas; le mien pleurait. Six mois plus tard, ça n'allait plus du tout. J'avais perdu cinq kilos, ma tension artérielle était hors contrôle. À Pâques, après le souper, Eddie insista pour que nous sortions marcher. Il me conduisit à un banc, dans un petit parc, pas très loin de la maison.

– Nous retournons au Canada, chérie.

Je me mis à pleurer tout doucement. Il me prit dans ses bras.

– Pleure pas. C'est pas ta faute. Ça va aller. Fie-toi à moi !

Je pleurais de plus belle. Je me sentais tellement ingrate. Alors, avec son sens de l'humour et son habituel oubli de soi, il se mit à me taquiner.

– Il va falloir vendre la maison, les meubles, l'auto et tout réemballer. Penses-tu pouvoir y arriver ?

– Mais chéri, tu aimes ton travail, tu es heureux ici.

– Je suis heureux partout; je suis heureux ici, je serai heureux là-bas. J'ambitionne pas de devenir veuf, du moins pas tout de suite. Peut-être dans une soixantaine d'années.

Puis, avec un sourire en coin, il ajouta.

– J'ai jamais défait les cercueils. Était-ce une prémonition ?

– Je sais pas, je sais pas. Je sais que je regrette.

– Tut, tut, tut ! On a des choses à planifier. As-tu pensé qu'on va peut-être nous retrouver dans le livre de records « Guinness » ? Il va falloir vendre cette maison, en acheter une autre au Québec. Le 24 juin exactement, ça fera onze mois qu'on est parti du Québec. Durant ces onze mois, nous avons vendu une maison et deux chalets, acheté une autre maison, au bout du monde, que nous allons revendre. Nous allons retourner à l'autre bout de monde où nous devrons en racheter une autre en arrivant. Chérie, nous avons réussi un exploit !

– Un exploit dont j'aurais pu me passer.

– Allons, pas de regrets ! Tu vas mourir si on reste ici. Notre histoire est une aventure merveilleuse. As-tu pensé qu'il y a un autre voyage en perspective ? À part l'ennui, tu as aimé ce pays, tu as aimé les gens, tu as aimé enseigner ici.

Lynda n'était pas enchantée de partir, mais la perspective de retrouver son grand frère atténuait sa déception. Muriel n'était pas plus heureuse. Elle s'était fait un ami, le premier. Un garçon l'avait trouvée belle, l'avait choisie. Elle partait le cœur gros.

– Maman, penses-tu que j'vais jamais trouver quelqu'un au Québec.

– Bien oui, chérie, tu vas voir. On sera à peine arrivés que tu auras retrouvé tes amies et un nouvel ami.

– J'pense pas. J'vais me retrouver toute seule. Ça fait un an qu'on est partis : mes amies ont d'autres amies. J'ai pas hâte d'arriver.

– T'inquiète pas. Tu vas voir, tes amies vont avoir hâte de te retrouver; t'auras à peine défait tes valises que t'auras un nouvel ami.

– Penses-tu ça vraiment, maman ?

– Oui, j'en suis sûre. Nathalie t'attend, tu vas retrouver d'autres amies et même un ami. Les Québécois sont pas mal, tu sais ! Quand ils vont te voir......ooooooh !

En un temps record, tout fut tout vendu. Nos amis ont été formidables. Le voyage du retour fut effectué rapidement. Je serais monté sur le dos d'un canard pour revenir chez nous.

Arrêt de trois jours à San Francisco. Avons pris le funiculaire, avons marché et regardé vivre les gens; avons visité le quartier chinois, Alcatraz, etc. Une pause fort appréciée !

Dernière envolée !

À l'aéroport, fidèles au rendez-vous, nos amis et Ed avec Sylvie. Rencontre des yeux, moment de bonheur indescriptible, unique instant. Grand Adonis, il se tient droit, une lueur taquine dans les yeux. Nous courons vers lui. Eddie n'est pas moins heureux, son fils lui avait manqué. Mon père et ma mère nous attendent aussi.

Nos amis Rémi et Jeanie de nous dire : « Nous avons un duplex pour vous. Notre beau-frère vend le sien. En attendant, vous pouvez rester chez nous quelques jours, nous sommes à notre chalet. » Des trésors !

Nous achetons le duplex. En septembre, Eddie et moi revenons à l'enseignement. L'année suivante Eddie entre au Collège Beaubois, à Pierrefonds; il y a enseigné jusqu'à sa retraite. En mars 1991, ma mère décède; mon père la rejoint deux mois plus tard.

Ed est toujours imprimeur, toujours aussi cher à mon cœur. Il a un foyer chaleureux avec Sylvie et deux enfants, Kim et Kevin, que nous aimons beaucoup. Sylvie est ma bru préférée – elle me fait remarquer qu'elle est la seule.

Muriel a repris ses études. Un petit délai avant d'être réadmise à l'école. Elle nous raconte cette entrée.

– J'ai dû passer au bureau. Quand j'entre en classe, le professeur parlait, les élèves étaient à leur pupitre. J'essaie de faire une entrée discrète; avec mon mètre soixante-quatorze, je me faufile au fond de la classe... Je m'assieds. Ouf ! En déposant mon cartable et mes livres sur mon bureau, mon étui à crayons s'ouvre : tous mes stylos, crayons, etc. tombent et s'éparpillent par terre.

– J'gage que ton étui était plein.

– Oui, Lynda, au moins une vingtaine de crayons et stylos. Vous auriez dû entendre le vacarme. On aurait dit qu'ils faisaient exprès pour tomber par groupes de deux ou trois. Tous les élèves se sont tournés vers moi. J'aurais voulu disparaître. Le professeur m'a regardée longuement et a dit : « J'pense que la nouvelle élève est arrivée... en direct de l'Australie... avec son bagage. » Puis, avec un petit sourire en coin, il a ajouté : « J'vous présente, Muriel McGrath. » Je l'aurais tué. Une chance qu'il a été un bon prof.

– Au moins, ils savent tous ton nom.

– À la récré, j'ai rencontré une fille fine, assez fine, supergentille, maman. J'étais toute seule dans mon coin, elle est venue me parler ! Elle s'appelle Chantal, Chantal Bedwani; j'vais chez elle demain.

Quelle chance ! Chantal, Nathalie et elle sont toujours amies. Muriel réalise ses objectifs. C'est une femme d'affaires avertie. Elle est heureuse avec Richard et le petit Alexandre, ce dernier venu que nous chérissons. Richard est aussi notre gendre préféré ! C'est un gars calme, pondéré, exactement l'homme qui convient à notre dynamo de Muriel.

Lynda est retournée en classe, aussi déçue que la première fois. L'école n'a plus jamais eu, pour elle, le même intérêt. Heureusement, nos nouveaux voisins, les Lefebvre, avaient une fille de son âge, Anika. Elles sont devenues et restent inséparables. Elle a passé une année en Suisse, parle trois langues, en apprend une quatrième, le mandarin, et rêve de voyages et d'aventures. Célibataire, bohème, la digne fille de son père. Elle étudie à l'université tout en travaillant. J'aime la fille qu'elle est devenue.

Dire que notre vie a été rangée, sans histoires, sans voyages, sans aventures depuis notre retour serait faux. Je suis toujours très occupée par l'écriture, le bénévolat, le théâtre, les causeries. J'ai déjà terminé l'ébauche de mon prochain livre : un roman cette fois.

Des rêves ? Un autre voyage en Australie nous tente beaucoup. Si nous gagnons à la loterie, si quelqu'un de riche m'adopte... J'aimerais fermer certains compartiments de mon cerveau, mais il est toujours en effervescence même au début de la soixantaine. Une deuxième jeunesse mentale. J'aime organiser, planifier, rencontrer des gens, voyager, j'aime tout. J'aime encore Rivière-à-la-Truite et Tracadie. La vie est extraordinaire pour nous. J'ai encore des choses à dire. L'autre jour, j'ai essayé d'expliquer à Eddie ce qui se passe en moi.

– Chéri, je commence à comprendre ce qui m'arrive.

– Il est à peu près temps, tu penses pas ?

– Écoute ! Je suis convaincue que mon cerveau est rempli de micro-films bourrés d'idées. Ils commencent seulement à se développer.

◆

Il se mit à rire, se prit la tête à deux mains.

– Ah Seigneur ! J'pensais que t'étais à la fin du dernier rouleau. J'espère qu'ils se dérouleront pas tous en même temps.

– Non, mon cher ! Fie-toi à moi !

The Rainmaker, Samoa